Mondo
et trois autres histoires

© Éditions Gallimard, 1978 pour le texte.
© Éditions Belin/Éditions Gallimard, 2010 pour l'introduction, les notes et le dossier
pédagogique.

ISBN 978-2-7011-5441-1
ISSN 1958-0541

CLASSICOCOLLÈGE

Mondo
et trois autres histoires
J.M.G. LE CLÉZIO

Dossier par Marianne Chomienne
Agrégée de lettres modernes

BELIN ■ GALLIMARD

Sommaire

Arrêt sur l'œuvre

Groupements de textes

Autour de l'œuvre

Introduction

En 1978, J.M.G. Le Clézio publie deux ouvrages écrits en même temps : *L'Inconnu sur la terre* et *Mondo et autres histoires*. Le premier est un essai poétique, hymne à la vie et aux éléments naturels. Le second est un recueil de huit « histoires ». Toutes ont pour personnages principaux des enfants qui partent à la rencontre d'eux-mêmes, des autres et de la nature, portés par un sens profond de la liberté et de la beauté du monde. Vous allez découvrir quatre d'entre elles dans les pages qui suivent : *Mondo*, *Lullaby*, *Celui qui n'avait jamais vu la mer* et *Les Bergers*.

En 2008, J.M.G. Le Clézio reçoit le prix Nobel de littérature qui salue l'ensemble de son œuvre, romans, nouvelles et essais. Reconnaissance prestigieuse pour cet « écrivain de la rupture, de l'aventure poétique et de l'extase sensuelle, explorateur d'une humanité au-delà et en dessous de la civilisation régnante ».

Suivez maintenant les pas de Mondo, Lullaby, Daniel et Gaspar et laissez-vous guider par ces quatre enfants-voyageurs...

« Hé quoi ! Vous demeurez à Bagdad,
et vous ignorez que c'est ici la demeure
du seigneur Sindbad le Marin, de ce
fameux voyageur qui a parcouru toutes
les mers que le soleil éclaire ? »

Histoire de Sindbad le Marin.

Mondo

Personne n'aurait pu dire d'où venait Mondo. Il était arrivé un jour, par hasard, ici dans notre ville, sans qu'on s'en aperçoive, et puis on s'était habitué à lui. C'était un garçon d'une dizaine d'années, avec un visage tout rond et tranquille, et de beaux yeux noirs un peu obliques. Mais c'était surtout ses cheveux qu'on remarquait, des cheveux brun cendré qui changeaient de couleur selon la lumière, et qui paraissaient presque gris à la tombée de la nuit.

On ne savait rien de sa famille, ni de sa maison. Peut-être qu'il n'en avait pas. Toujours, quand on ne s'y attendait pas, quand on ne pensait pas à lui, il apparaissait au coin d'une rue, près de la plage, ou sur la place du marché. Il marchait seul, l'air décidé, en regardant autour de lui. Il était habillé tous les jours de la même façon, un pantalon bleu en denim[1], des chaussures de tennis, et un T-shirt vert un peu trop grand pour lui.

Quand il arrivait vers vous, il vous regardait bien en face, il souriait, et ses yeux étroits devenaient deux fentes brillantes. C'était sa façon de saluer. Quand il y avait quelqu'un qui lui plaisait, il l'arrêtait et lui demandait tout simplement :

« Est-ce que vous voulez m'adopter ? »

Et avant que les gens soient revenus de leur surprise, il était déjà loin.

Qu'est-ce qu'il était venu faire ici, dans cette ville ? Peut-être qu'il était arrivé après avoir voyagé longtemps dans la soute d'un

---

1. Denim : tissu utilisé pour la confection des jeans.

13

25 cargo[1], ou dans le dernier wagon d'un train de marchandises qui avait roulé lentement à travers le pays, jour après jour, nuit après nuit. Peut-être qu'il avait décidé de s'arrêter, quand il avait vu le soleil et la mer, les villas blanches et les jardins de palmiers. Ce qui est certain, c'est qu'il venait de très loin, de l'autre côté
30 des montagnes, de l'autre côté de la mer. Rien qu'à le voir, on savait qu'il n'était pas d'ici, et qu'il avait vu beaucoup de pays. Il avait ce regard noir et brillant, cette peau couleur de cuivre, et cette démarche légère, silencieuse, un peu de travers, comme les chiens. Il avait surtout une élégance et une assurance que
35 les enfants n'ont pas d'ordinaire à cet âge, et il aimait poser des questions étranges qui ressemblaient à des devinettes. Pourtant, il ne savait pas lire ni écrire.

Quand il est arrivé ici, dans notre ville, c'était avant l'été. Il faisait déjà très chaud, et il y avait chaque soir plusieurs incendies
40 sur les collines. Le matin, le ciel était invariablement bleu, tendu, lisse, sans un nuage. Le vent soufflait de la mer, un vent sec et chaud qui desséchait la terre et attisait les feux. C'était un jour de marché. Mondo est arrivé sur la place, et il a commencé à circuler entre les camionnettes bleues des maraîchers[2]. Tout de
45 suite il a trouvé du travail, parce que les maraîchers ont toujours besoin d'aide pour décharger leurs cageots.

Mondo travaillait pour une camionnette, puis, quand il avait fini, on lui donnait quelques pièces et il allait voir une autre camionnette. Les gens du marché le connaissaient bien. Il venait
50 sur la place de bonne heure, pour être sûr d'être engagé, et quand les camionnettes bleues commençaient à arriver, les gens le voyaient et criaient son nom :

« Mondo ! Oh Mondo ! »

---

1. Dans la soute d'un cargo : au fond d'un bateau, là où sont entreposées des marchandises.
2. Maraîchers : jardiniers cultivant des légumes.

Quand le marché était fini, Mondo aimait bien glaner[1]. Il se
55 faufilait entre les étals, et il ramassait ce qui était tombé par terre,
des pommes, des oranges, des dattes. Il y avait d'autres enfants
qui cherchaient, et aussi des vieux qui remplissaient leurs sacs
avec des feuilles de salade et des pommes de terre. Les marchands
aimaient bien Mondo, ils ne lui disaient jamais rien. Quelquefois,
60 la grosse marchande de fruits qui s'appelait Rosa lui donnait des
pommes ou des bananes qu'elle prenait sur son étal. Il y avait
beaucoup de bruit sur la place, et les guêpes volaient au-dessus
des tas de dattes et de raisins secs.

Mondo restait sur la place jusqu'à ce que les camionnettes bleues
65 soient reparties. Il attendait l'arroseur public qui était son ami.
C'était un grand homme maigre habillé d'un survêtement bleu
marine. Mondo aimait bien le regarder manier sa lance, mais il
ne lui parlait jamais. L'arroseur public dirigeait le jet d'eau sur
les ordures et les faisait courir devant lui comme des bêtes, et
70 il y avait un nuage de gouttes qui montait dans l'air. Ça faisait
un bruit d'orage et de tonnerre, l'eau fusait sur la chaussée et
on voyait des arcs-en-ciel légers au-dessus des voitures arrêtées.
C'était pour cela que Mondo était l'ami de l'arroseur. Il aimait
les gouttes fines qui s'envolaient, qui retombaient comme la
75 pluie sur les carrosseries et sur les pare-brise. L'arroseur public
aimait bien Mondo, lui aussi, mais il ne lui parlait pas. D'ailleurs,
ils n'auraient pas pu se dire grand-chose à cause du bruit de la
lance. Mondo regardait le long tuyau noir qui tressautait comme
un serpent. Il avait très envie d'essayer d'arroser, lui aussi, mais il
80 n'osait pas demander à l'arroseur de lui prêter sa lance. Et puis,
peut-être qu'il n'aurait pas eu la force de rester debout, parce
que le jet d'eau était très puissant.

Mondo restait sur la place jusqu'à ce que l'arroseur public
ait fini d'arroser. Les gouttes fines tombaient sur son visage et
85 mouillaient ses cheveux, et c'était comme une brume fraîche qui

---

1. Glaner : ramasser ce qui reste de la moisson ; ici ce qui reste du marché.

faisait du bien. Quand l'arroseur public avait fini, il démontait son tuyau et il s'en allait ailleurs. Alors il y avait toujours des gens qui arrivaient et qui regardaient la chaussée mouillée en disant :

«Tiens ? Il a plu ? »

90 Après, Mondo partait voir la mer, les collines qui brûlaient, ou bien il allait à la recherche de ses autres amis.

À cette époque-là, il n'habitait vraiment nulle part. Il dormait dans des cachettes, du côté de la plage, ou même plus loin, dans les rochers blancs à la sortie de la ville. C'étaient de bonnes
95 cachettes où personne n'aurait pu le trouver. Les policiers et les gens de l'Assistance[1] n'aiment pas que les enfants vivent comme cela, en liberté, mangeant n'importe quoi et dormant n'importe où. Mais Mondo était malin, il savait quand on le cherchait et il ne se montrait pas.

100 Quand il n'y avait pas de danger, il se promenait toute la journée dans la ville, en regardant ce qui se passait. Il aimait bien se promener sans but, tourner au coin d'une rue, puis d'une autre, prendre un raccourci, s'arrêter un peu dans un jardin, repartir. Quand il voyait quelqu'un qui lui plaisait, il allait vers lui, et il
105 lui disait tranquillement :

«Bonjour. Est-ce que vous ne voulez pas m'adopter ? »

Il y avait des gens qui auraient bien voulu, parce que Mondo avait l'air gentil, avec sa tête ronde et ses yeux brillants. Mais c'était difficile. Les gens ne pouvaient pas l'adopter comme cela, tout
110 de suite. Ils commençaient à lui poser des questions, son âge, son nom, son adresse, où étaient ses parents, et Mondo n'aimait pas beaucoup ces questions-là. Il répondait :

«Je ne sais pas, je ne sais pas. »

Et il s'en allait en courant.
115 Mondo avait trouvé beaucoup d'amis, rien qu'en marchant dans les rues. Mais il ne parlait pas à tout le monde. Ce n'étaient

---

1. Assistance : Assistance publique, organisme prenant en charge les enfants trouvés.

pas des amis pour parler, ou pour jouer. C'étaient des amis pour saluer au passage, très vite, avec un clin d'œil, ou pour faire un signe de la main, au loin, de l'autre côté de la rue. C'étaient des
120 amis aussi pour manger, comme la dame boulangère qui lui donnait tous les jours un morceau de pain. Elle avait un vieux visage rose, très régulier et très lisse comme une statue italienne. Elle était toujours habillée de noir et ses cheveux blancs tressés étaient coiffés en chignon. Elle avait d'ailleurs un nom italien,
125 elle s'appelait Ida, et Mondo aimait bien entrer dans son magasin. Quelquefois il travaillait pour elle, il allait porter du pain chez les commerçants du voisinage. Quand il revenait, elle coupait une grosse tranche dans un pain rond et elle la lui tendait, enveloppée dans du papier transparent. Mondo ne lui avait jamais
130 demandé de l'adopter, peut-être parce qu'il l'aimait vraiment bien et que ça l'intimidait.

Mondo marchait lentement vers la mer en mangeant le morceau de pain. Il le cassait par petits bouts, pour le faire durer, et il marchait et mangeait sans se presser. Il paraît qu'il vivait surtout
135 de pain, à cette époque-là. Tout de même il gardait quelques miettes pour donner à des amies mouettes.

Il y avait beaucoup de rues, des places, un jardin public, avant de sentir l'odeur de la mer. D'un coup, elle arrivait dans le vent, avec le bruit monotone des vagues.
140 À l'extrémité du jardin, il y avait un kiosque à journaux. Mondo s'arrêtait et choisissait un illustré[1]. Il hésitait entre plusieurs histoires d'Akim[2] et finalement il achetait une histoire de Kit Carson[3]. Mondo choisissait Kit Carson à cause du dessin qui le représentait vêtu de sa fameuse veste à lanières. Puis il cherchait
145 un banc pour lire l'illustré. Ce n'était pas facile, parce qu'il fallait

---

1. Illustré : journal composé de bandes dessinées.
2. Akim : personnage principal d'une bande dessinée des années 1950. Ses aventures ressemblent à celles de Tarzan.
3. Kit Carson : pionnier de la Conquête de l'Ouest américain qui inspira des bandes dessinées publiées en France à partir de la fin des années 1950.

que sur le banc il y ait quelqu'un qui puisse lire les paroles de l'histoire de Kit Carson. Juste avant midi, c'était la bonne heure, parce qu'à ce moment-là il y avait toujours plus ou moins des retraités des Postes qui fumaient leur cigarette en s'ennuyant.

150 Quand Mondo en avait trouvé un, il s'asseyait à côté de lui sur le banc, et il regardait les images en écoutant l'histoire. Un Indien debout les bras croisés devant Kit Carson disait :

« Dix lunes ont passé et mon peuple est à bout. Qu'on déterre la hache des Anciens ! »

155 Kit Carson levait la main.

« N'écoute pas ta colère, Cheval Fou. Bientôt on te rendra justice. »

« C'est trop tard », disait Cheval Fou. « Vois ! »

Il montrait les guerriers massés au bas de la colline.

160 « Mon peuple a trop attendu. La guerre va commencer, et vous mourrez, et toi aussi tu mourras, Kit Carson ! »

Les guerriers obéissaient à l'ordre de Cheval Fou, mais Kit Carson les renversait d'un coup de poing et s'échappait sur son cheval. Il se retournait encore et il criait à Cheval Fou :

165 « Je reviendrai, et on te rendra justice ! »

Quand Mondo avait entendu l'histoire de Kit Carson, il reprenait l'illustré et il remerciait le retraité.

« Au revoir ! » disait le retraité.

« Au revoir ! » disait Mondo.

170 Mondo marchait vite jusqu'à la jetée qui avance au milieu de la mer. Mondo regardait un instant la mer, en serrant les paupières pour ne pas être ébloui par les reflets du soleil. Le ciel était très bleu, sans nuages, et les vagues courtes étincelaient.

Mondo descendait le petit escalier qui conduit aux brisants[1]. Il

175 aimait beaucoup cet endroit. La digue de pierre était très longue, bordée de gros blocs de ciment rectangulaires. Au bout de la digue, il y avait le phare. Les oiseaux de mer glissaient dans le vent,

---

1. Brisants : blocs de béton pour protéger la jetée du choc des vagues.

planaient, tournaient lentement en poussant des gémissements
d'enfant. Ils volaient au-dessus de Mondo, ils frôlaient sa tête et
180 l'appelaient. Mondo jetait les miettes de pain le plus haut qu'il
pouvait, et les oiseaux de mer les attrapaient au vol.

Mondo aimait marcher ici, sur les brisants. Il sautait d'un bloc
à l'autre, en regardant la mer. Il sentait le vent qui appuyait sur
sa joue droite, qui tirait ses cheveux de côté. Le soleil était très
185 chaud, malgré le vent. Les vagues cognaient sur la base des blocs
de ciment en faisant jaillir les embruns dans la lumière.

De temps en temps, Mondo s'arrêtait pour regarder la côte. Elle
était loin déjà, une bande brune semée de petits parallélépipèdes
blancs. Au-dessus des maisons, les collines étaient grises et vertes.
190 La fumée des incendies montait par endroits, faisait une tache
bizarre dans le ciel. Mais on ne voyait pas de flammes.

« Il faudra que j'aille voir là-bas », disait Mondo.

Il pensait aux grandes flammes rouges qui dévoraient les buissons et les forêts de chênes-lièges. Il pensait aussi aux camions
195 des sapeurs-pompiers arrêtés dans les chemins, parce qu'il aimait
beaucoup les camions rouges.

À l'ouest, il y avait aussi comme un incendie sur la mer, mais
c'était seulement le reflet du soleil. Mondo restait immobile et
il sentait les petites flammes des reflets qui dansaient sur ses
200 paupières, puis il continuait son chemin, en sautant sur les brise-
lames.

Mondo connaissait bien tous les blocs de ciment, ils avaient
l'air de gros animaux endormis, à moitié dans l'eau, en train de
chauffer leurs dos larges au soleil. Ils portaient de drôles de signes
205 gravés sur leurs dos, des taches brunes, rouges, des coquillages
incrustés dans le ciment. À la base des brise-lames, là où la mer
battait, le goémon[1] vert faisait un tapis, et il y avait des populations
de mollusques aux coquilles blanches. Mondo connaissait surtout
un bloc de ciment, presque au bout de la digue. C'était là qu'il

---

1. **Goémon** : variété d'algues.

210 allait toujours s'asseoir, et c'était lui qu'il préférait. C'était un
bloc un peu incliné, mais pas trop, et son ciment était usé, très
doux. Mondo s'installait sur lui, il s'asseyait en tailleur, et il lui
parlait un peu, à voix basse, pour lui dire bonjour. Quelquefois
il lui racontait même des histoires pour le distraire, parce qu'il
215 devait sûrement s'ennuyer un peu, à rester là tout le temps,
sans pouvoir partir. Alors il lui parlait de voyages, de bateaux
et de mer, bien sûr, et puis de ces grands cétacés qui dérivent
lentement d'un pôle à l'autre. Le brise-lames ne disait rien, ne
bougeait pas, mais il aimait bien les histoires que lui racontait
220 Mondo. C'était sûrement pour ça qu'il était si doux.

Mondo restait longtemps assis sur son brise-lames, à regarder
les étincelles sur la mer et à écouter le bruit des vagues. Quand
le soleil était plus chaud, vers la fin de l'après-midi, il s'allongeait
en chien de fusil, la joue contre le ciment tiède, et il dormait
225 un peu.

C'est un de ces après-midi-là qu'il avait fait la connaissance de
Giordan le Pêcheur. Mondo avait entendu à travers le ciment
le bruit de pas de quelqu'un qui marchait sur les brise-lames. Il
s'était redressé, prêt à aller se cacher, mais il avait vu cet homme
230 d'une cinquantaine d'années qui portait une longue gaule[1] sur
son épaule, et il n'avait pas eu peur de lui. L'homme était venu
jusqu'à la dalle voisine et il avait fait un petit signe amical avec
la main.

« Qu'est-ce que tu fais là ? »

235 Il s'était installé sur le brise-lames, et il avait sorti de son sac
de toile cirée toutes sortes de fils et d'hameçons. Quand il avait
commencé à pêcher, Mondo était venu à côté de lui, sur le brise-
lames, et il avait regardé le pêcheur préparer les hameçons. Le
pêcheur lui montrait comment on appâte, puis comment on lance,
240 lentement d'abord, et de plus en plus fort à mesure que la ligne
se dévide. Il avait prêté sa gaule à Mondo, pour qu'il apprenne

---

1. Gaule : canne à pêche.

à tourner le moulinet d'un geste continu, en balançant un peu la gaule de gauche à droite.

245 Mondo aimait bien Giordan le Pêcheur, parce qu'il ne lui avait jamais rien demandé. Il avait un visage rougi par le soleil, marqué de rides profondes, et deux petits yeux d'un vert intense qui surprenaient.

Il pêchait longtemps sur le brise-lames, jusqu'à ce que le soleil soit tout près de l'horizon. Giordan ne parlait pas beaucoup, sans 250 doute pour ne pas faire peur aux poissons, mais il riait chaque fois qu'il ramenait une prise. Il décrochait la mâchoire du poisson avec des gestes nets et précis, et il mettait sa capture dans le sac en toile cirée. De temps en temps, Mondo allait chercher pour lui des crabes gris pour appâter sa ligne. Il descendait au pied 255 des brise-lames, et il guettait entre les touffes d'algues. Quand la vague se retirait, les petits crabes gris sortaient, et Mondo les attrapait à la main. Giordan le Pêcheur les brisait sur la dalle de ciment et les découpait avec un petit canif rouillé.

Un jour, pas très loin en mer, ils avaient vu un grand cargo 260 noir qui glissait sans bruit.

« Comment s'appelle-t-il ? » demandait Mondo.

Giordan le Pêcheur mettait sa main en visière et plissait ses yeux.

« *Erythrea* », disait-il ; puis il s'étonnait un peu : 265 « Tu n'as pas de bons yeux. »

« Ce n'est pas cela », disait Mondo. « Je ne sais pas lire. »

« Ah bon ? » disait Giordan.

Ils regardaient longuement le cargo qui passait.

« Qu'est-ce que ça veut dire, le nom du bateau ? » demandait 270 Mondo.

« Erythrea ? C'est un nom de pays, sur la côte d'Afrique, sur la mer Rouge. »

« C'est un joli nom », disait Mondo. « Ça doit être un beau pays. »

275 Mondo réfléchissait un instant.

« Et la mer là-bas s'appelle la mer Rouge ? »

Giordan le Pêcheur riait :

« Tu crois que là-bas la mer est vraiment rouge ? »

« Je ne sais pas », disait Mondo.

280 « Quand le soleil se couche, la mer devient rouge, c'est vrai. Mais elle s'appelle comme ça à cause des hommes qui vivaient là autrefois. »

Mondo regardait le cargo qui s'éloignait.

« Il va sûrement là-bas, vers l'Afrique. »

285 « C'est loin », disait Giordan le Pêcheur. « Il fait très chaud là-bas, il y a beaucoup de soleil et la côte est comme le désert. »

« Il y a des palmiers ? »

« Oui, et des plages de sable très longues. Dans la journée, la mer est très bleue, il y a beaucoup de petits bateaux de pêche

290 avec des voiles en forme d'aile, ils naviguent le long de la côte, de village en village. »

« Alors on peut rester assis sur la plage et regarder passer les bateaux ? On reste assis à l'ombre, et on se raconte des histoires en regardant les bateaux sur la mer ? »

295 « Les hommes travaillent, ils réparent les filets et ils clouent des plaques de zinc sur la coque des bateaux échoués dans le sable. Les enfants vont chercher des brindilles sèches et ils allument des feux sur la plage pour faire chauffer la poix[1] qui sert à colmater[2] les fissures des bateaux. »

300 Giordan le Pêcheur ne regardait plus sa ligne maintenant. Il regardait au loin, vers l'horizon, comme s'il cherchait à voir vraiment tout cela.

« Il y a des requins dans la mer Rouge ? »

« Oui, il y en a toujours un ou deux qui suivent les bateaux,

305 mais les gens sont habitués, ils n'y font pas attention. »

« Ils ne sont pas méchants ? »

---

1. Poix : colle à base de résine utilisée pour assurer l'étanchéité de la coque.
2. Colmater : boucher.

«Les requins sont comme les renards, tu sais. Ils sont toujours à la recherche des ordures qui tombent à l'eau, de quelque chose à chaparder[1]. Mais ils ne sont pas méchants. »

310 «Ça doit être grand, la mer Rouge», disait Mondo.

«Oui, c'est très grand… Il y a beaucoup de villes sur les côtes, des ports qui ont de drôles de noms… Ballul, Barasali, Debba… Massawa, c'est une grande ville toute blanche. Les bateaux vont loin le long de la côte, ils naviguent pendant des jours et des nuits,
315 ils naviguent vers le nord, jusqu'à Ras Kasar, ou bien ils vont vers les îles, à Dahlak Kebir, dans l'archipel des Nora, quelquefois même jusqu'aux îles Farasan, de l'autre côté de la mer. »

Mondo aimait beaucoup les îles.

«Oh oui, il y a beaucoup d'îles, des îles avec des rochers rouges
320 et des plages de sable, et sur les îles il y a des palmiers ! »

«À la saison des pluies, il y a des tempêtes, le vent souffle si fort qu'il déracine les palmiers et qu'il enlève le toit des maisons. »

«Les bateaux font naufrage ? »

«Non, les gens restent chez eux, à l'abri, personne ne sort
325 en mer. »

«Mais ça ne dure pas longtemps. »

«Sur une petite île, il y a un pêcheur avec toute sa famille. Ils vivent dans une maison en feuilles de palmier, au bord de la plage. Le fils aîné du pêcheur est déjà grand, il doit avoir ton
330 âge. Il va sur le bateau avec son père, et il jette les filets dans la mer. Quand il les retire, ils sont remplis de poissons. Il aime beaucoup partir avec son père sur le bateau, il est fort et il sait déjà bien manœuvrer la voile pour prendre le vent. Quand il fait beau et que la mer est calme, le pêcheur emmène toute sa
335 famille, ils vont voir des parents et des amis dans les îles voisines, et ils reviennent le soir. »

«Le bateau avance tout seul, sans faire de bruit, et la mer Rouge est toute rouge parce que c'est le coucher de soleil. »

---

1. **Chaparder** : voler.

Pendant qu'ils parlaient, le cargo *Erythrea* avait fait un grand
340 virage sur la mer. Le bateau-pilote[1] revenait en tanguant sur le
sillage, et le cargo donnait juste un coup de sirène bref pour
dire au revoir.

« Quand est-ce que vous irez là-bas, vous aussi ? » demandait
Mondo.

345 « En Afrique, sur la mer Rouge ? » Giordan le Pêcheur riait. « Je
ne peux pas aller là-bas, je dois rester ici, sur la digue. »

« Pourquoi ? »

Il cherchait une réponse.

« Parce que… Parce que moi, je suis un marin qui n'a pas de
350 bateau. »

Puis il recommençait à regarder sa gaule.

Quand le soleil était tout près de l'horizon, Giordan le Pêcheur
posait la gaule à plat sur la dalle de ciment, et il sortait de la
poche de sa veste un sandwich. Il en donnait la moitié à Mondo
355 et ils mangeaient ensemble en regardant les reflets du soleil
sur la mer.

Mondo s'en allait avant la nuit, pour chercher une cachette
où dormir.

« Au revoir ! » disait Mondo.

360 « Au revoir ! » disait Giordan. Quand Mondo était un peu éloigné, il lui criait :

« Reviens me voir ! Je t'apprendrai à lire. Ce n'est pas difficile. »

Il restait à pêcher jusqu'à ce qu'il fasse tout à fait nuit et que
365 le phare commence à envoyer ses signaux réguliers, toutes les
quatre secondes.

---

1. Bateau-pilote : bateau rapide utilisé pour guider les navires lorsqu'ils entrent ou
sortent du port.

Tout ça était très bien, mais il fallait faire attention au Ciapacan[1].
Chaque matin, quand le jour se levait, la camionnette grise aux
fenêtres grillagées circulait lentement dans les rues de la ville,
sans faire de bruit, au ras des trottoirs. Elle rôdait dans les rues
encore endormies et brumeuses, à la recherche des chiens et
des enfants perdus.

Mondo l'avait aperçue un jour, alors qu'il venait de quitter sa
cachette du bord de mer et qu'il traversait un jardin. La camionnette s'était arrêtée à quelques mètres devant lui, et il avait eu
juste le temps de se blottir derrière un buisson. Il avait vu la
porte arrière s'ouvrir et deux hommes habillés en survêtements
gris étaient descendus. Ils portaient deux grands sacs de toile et
des cordes. Ils avaient commencé à chercher dans les allées du
jardin, et Mondo avait entendu leurs paroles quand ils étaient
passés à côté du buisson.

«Il est parti par là.»

«Tu l'as vu?»

«Oui, il ne doit pas être loin.»

Les deux hommes en gris s'étaient éloignés, chacun dans une
direction, et Mondo était resté immobile derrière le buisson,
presque sans respirer. Un instant plus tard, il y avait eu un drôle
de cri rauque qui s'était étouffé, puis à nouveau le silence. Quand
les deux hommes étaient revenus, Mondo avait vu qu'ils portaient
quelque chose dans un des sacs. Ils avaient chargé le sac à l'arrière de la camionnette, et Mondo avait entendu encore ces cris

---

1. **Ciapacan** : fourrière (nom provençal).

aigus qui faisaient mal aux oreilles. C'était un chien qu'on avait enfermé dans le sac. La camionnette grise était repartie sans se presser, avait disparu derrière les arbres du jardin. Quelqu'un qui

395 passait par là avait dit à Mondo que c'était le Ciapacan qui enlève les chiens qui n'ont pas de maître ; il avait regardé attentivement Mondo, et il avait ajouté, pour lui faire peur, que la camionnette emmenait quelquefois aussi les enfants qui se promenaient au lieu d'aller à l'école. Depuis ce jour, Mondo surveillait tout le

400 temps, sur les côtés, et même derrière lui, pour être sûr de voir venir la camionnette grise.

Aux heures où les enfants sortaient de l'école, ou bien les jours de fête, Mondo savait qu'il n'y avait rien à craindre. C'était quand il y avait peu de monde dans les rues, tôt le matin ou à la tombée

405 de la nuit, qu'il fallait faire attention. C'est peut-être pour cela que Mondo trottait un peu de travers, comme les chiens.

À cette époque-là il avait fait la connaissance du Gitan, du Cosaque et de leur vieil ami Dadi. C'étaient les noms qu'on leur avait donnés, ici dans notre ville, parce qu'on ne savait pas

410 leurs vrais noms. Le Gitan n'était pas gitan, mais on l'appelait comme cela à cause de son teint basané, de ses cheveux très noirs et de son profil d'aigle ; mais il devait sans doute son surnom au fait qu'il habitait dans une vieille Hotchkiss[1] noire garée sur l'esplanade[2] et qu'il gagnait sa vie en faisant des tours de presti-

415 digitation. Le Cosaque, lui, c'était un homme étrange, de type mongol, qui était toujours coiffé d'un gros bonnet de fourrure qui lui donnait l'air d'un ours. Il jouait de l'accordéon devant les terrasses des cafés, la nuit surtout, parce que dans la journée il était complètement ivre.

420 Mais celui que Mondo préférait, c'était le vieux Dadi. Un jour qu'il marchait le long de la plage, il l'avait vu assis par terre sur une feuille de journal. Le vieil homme se chauffait

---

1. Hotchkiss : marque d'automobiles de luxe.
2. Esplanade : grande place aménagée en lieu de promenade.

au soleil sans faire attention aux gens qui passaient devant lui. Mondo avait été intrigué par une petite valise en carton
425 bouilli jaune percée de trous que le vieux Dadi avait posée par terre, à côté de lui, sur une autre feuille de journal. Dadi avait l'air doux et tranquille, et Mondo n'avait pas du tout peur de lui. Il s'était approché pour regarder la valise jaune, et il avait demandé à Dadi :
430 « Qu'est-ce qu'il y a dans votre valise ? »

L'homme avait ouvert un peu les yeux. Sans rien dire, il avait pris la valise sur ses genoux et il avait entrouvert le couvercle. Il souriait d'un air mystérieux en passant sa main sous le couvercle, puis en sortant un couple de colombes.
435 « Elles sont très belles », avait dit Mondo. « Comment s'appellent-elles ? »

Dadi lissait les plumes des oiseaux, puis les approchait de ses joues.

« Lui, c'est Pilou, et elle, c'est Zoé. »
440 Il tenait les colombes dans ses mains, il les caressait très doucement contre son visage. Il regardait au loin, avec ses yeux humides et clairs qui ne voyaient pas bien.

Mondo avait caressé doucement la tête des colombes. La lumière du soleil les éblouissait, et elles voulaient rentrer dans leur valise.
445 Dadi leur parlait à voix basse pour les calmer, puis il les enfermait de nouveau sous le couvercle.

« Elles sont très belles », avait répété Mondo. Et il était parti, tandis que l'homme fermait les yeux et continuait à dormir assis sur son journal.
450 Quand la nuit tombait, Mondo allait voir Dadi sur l'esplanade. Il travaillait avec le Gitan et le Cosaque pour la représentation publique, c'est-à-dire qu'il était assis un peu à l'écart avec sa valise jaune pendant que le Gitan jouait du banjo et que le Cosaque parlait avec sa grosse voix pour attirer les badauds. Le Gitan
455 jouait vite, en regardant bouger ses doigts, et en chantonnant. Son visage sombre brillait dans la lumière des réverbères.

Mondo se mettait au premier rang des spectateurs, et il saluait Dadi. Maintenant, le Gitan commençait la représentation. Debout devant les spectateurs, il sortait des mouchoirs de toutes les
460 couleurs de son poing fermé, avec une rapidité incroyable. Les mouchoirs légers tombaient par terre, et Mondo devait les ramasser au fur et à mesure. C'était son travail. Puis le Gitan sortait toutes sortes d'objets bizarres de sa main, des clés, des bagues, des crayons, des images, des balles de ping-pong et
465 même des cigarettes allumées qu'il distribuait aux gens. Il faisait cela si vite qu'on n'avait pas le temps de voir bouger ses mains. Les gens riaient et applaudissaient, et les pièces de monnaie commençaient à tomber par terre.

« Petit, aide-nous à ramasser les pièces », disait le Cosaque.
470 Les mains du Gitan prenaient un œuf, l'enveloppaient dans un mouchoir rouge, puis s'arrêtaient une seconde.

« At… tention ! »

Les mains frappaient l'une contre l'autre. Quand elles dénouaient le mouchoir, l'œuf avait disparu. Les gens applaudissaient encore
475 plus fort, et Mondo ramassait d'autres pièces qu'il mettait dans une boîte de fer.

Quand il n'y avait plus de pièces, Mondo s'asseyait sur ses talons et regardait à nouveau les mains du Gitan. Elles bougeaient vite, comme si elles étaient indépendantes. Le Gitan sortait d'autres
480 œufs de sa main fermée, puis les faisait disparaître entre ses mains, d'un coup. À chaque fois qu'un œuf allait disparaître, il regardait Mondo en faisant un clin d'œil.

« Hop ! Hop ! »

Mais ce que le Gitan savait faire de plus beau, c'est quand il
485 prenait deux œufs très blancs qui venaient dans ses mains sans qu'on comprenne comment ; il les enveloppait dans deux grands mouchoirs rouge et jaune, puis il levait ses bras en l'air et restait un moment sans bouger. Tout le monde le regardait alors en retenant son souffle.
490 « At… tention ! »

Le Gitan baissait les bras en dépliant les mouchoirs, et deux colombes blanches sortaient des mouchoirs et volaient au-dessus de sa tête avant d'aller se percher sur les épaules du vieux Dadi.

Les gens criaient:

495 « Oh! »

et ils applaudissaient très fort et jetaient une grosse pluie de pièces.

Quand la représentation était finie, le Gitan allait acheter des sandwiches et de la bière, et tout le monde allait s'asseoir sur le

500 marchepied de la vieille Hotchkiss noire.

« Tu m'as bien aidé, petit », disait le Gitan à Mondo.

Le Cosaque buvait la bière et s'exclamait très fort:

« C'est ton fils, Gitan? »

« Non, c'est mon ami Mondo. »

505 « Alors, à ta santé, mon ami Mondo! »

Il était déjà un peu ivre.

« Est-ce que tu sais jouer de la musique? »

« Non monsieur », disait Mondo.

Le Cosaque éclatait de rire.

510 « Non monsieur! Non monsieur! » Il répétait ça en criant, mais Mondo ne comprenait pas ce qui le faisait rire.

Ensuite le Cosaque prenait son petit accordéon et il commençait à jouer. Ce n'était pas vraiment de la musique qu'il faisait, c'était une suite de sons étranges et monotones, qui descendaient et

515 montaient, tantôt vite, tantôt doucement. Le Cosaque jouait en frappant du pied sur le sol, et il chantait avec sa voix grave en répétant tout le temps les mêmes syllabes.

« Ay, ay, yaya, yaya, ayaya, yaya, ayaya, yaya, ay, ay! » Il chantait et jouait de l'accordéon, en se balançant, et Mondo pensait qu'il

520 avait vraiment l'air d'un gros ours.

Les gens qui passaient s'arrêtaient un instant pour le regarder, ils riaient un peu et continuaient leur chemin.

Plus tard, quand la nuit était tout à fait noire, le Cosaque cessait de jouer, et il s'asseyait sur le marchepied de la Hotchkiss

525 à côté du Gitan. Ils allumaient des cigarettes de tabac noir qui
sentait fort et ils parlaient en buvant d'autres canettes de bière.
Ils parlaient de choses lointaines que Mondo ne comprenait
pas bien, des souvenirs de guerre et de voyage. Quelquefois le
vieux Dadi parlait aussi, et Mondo écoutait ses paroles, parce
530 qu'il était surtout question d'oiseaux, de colombes et de pigeons
voyageurs. Dadi racontait avec sa voix douce, un peu essoufflée,
les histoires de ces oiseaux qui volaient longtemps au-dessus de
la campagne, quand la terre glissait sous eux avec ses rivières en
méandres, les petits arbres plantés le long des routes pareilles à
535 des rubans noirs, les maisons aux toits rouges et gris, les fermes
entourées de champs de toutes les couleurs, les prairies, les collines, les montagnes qui ressemblaient à des tas de cailloux. Le
petit homme racontait aussi comment les oiseaux revenaient
toujours vers leur maison, en lisant sur le paysage comme sur
540 une carte, ou bien en naviguant aux étoiles, comme les marins
et les aviateurs. Les maisons des oiseaux étaient semblables à
des tours, mais il n'y avait pas de porte, simplement des fenêtres
étroites juste sous le toit. Quand il faisait chaud, on entendait
les roucoulements qui montaient des tours, et on savait que les
545 oiseaux étaient revenus.

Mondo écoutait la voix de Dadi, il voyait la braise des cigarettes
qui luisait dans la nuit. Autour de l'esplanade, les autos roulaient
en faisant un bruit doux comme l'eau, et les lumières des maisons
s'éteignaient une à une. Il était très tard, et Mondo sentait sa
550 vue qui se brouillait parce qu'il allait s'endormir. Alors le Gitan
l'envoyait se coucher sur la banquette arrière de la Hotchkiss,
et c'est là qu'il passait la nuit. Le vieux Dadi rentrait chez lui,
mais le Gitan et le Cosaque ne dormaient pas. Ils restaient assis
sur le marchepied de la voiture, jusqu'au matin, comme cela, à
555 boire, à fumer, et à parler.

Mondo aimait bien faire ceci : il s'asseyait sur la plage, les bras autour de ses genoux, et il regardait le soleil se lever. À quatre heures cinquante le ciel était pur et gris, avec seulement quelques nuages de vapeur au-dessus de la mer. Le soleil n'apparaissait pas tout de suite, mais Mondo sentait son arrivée, de l'autre côté de l'horizon, quand il montait lentement comme une flamme qui s'allume. Il y avait d'abord une auréole pâle qui élargissait sa tache dans l'air, et on sentait au fond de soi cette vibration bizarre qui faisait trembler l'horizon, comme s'il y avait un effort. Alors le disque apparaissait au-dessus de l'eau, jetait un faisceau de lumière droit dans les yeux, et la mer et la terre semblaient de la même couleur. Un instant après venaient les premières couleurs, les premières ombres. Mais les réverbères de la ville restaient allumés, avec leur lumière pâle et fatiguée, parce qu'on n'était pas encore très sûr que le jour commençait.

Mondo regardait le soleil qui montait au-dessus de la mer. Il chantonnait pour lui tout seul, en balançant sa tête et son buste, il répétait le chant du Cosaque :

« Ayaya, yaya, yayaya, yaya… »

Il n'y avait personne sur la plage, seulement quelques mouettes qui flottaient sur la mer. L'eau était très transparente, grise, bleue et rose, et les cailloux étaient très blancs.

Mondo pensait au jour qui se levait aussi dans la mer, pour les poissons et pour les crabes. Peut-être qu'au fond de l'eau, tout devenait rose et clair comme à la surface de la terre ? Les poissons se réveillaient et bougeaient lentement sous leur ciel pareil à un miroir, ils étaient heureux au milieu des milliers de soleils

qui dansaient, et les hippocampes[1] montaient le long des tiges
d'algues pour mieux voir la lumière nouvelle. Même les coquilles
585   entrouvraient leurs valves pour laisser entrer le jour. Mondo pensait
beaucoup à eux, et il regardait les vagues lentes qui tombaient
sur les cailloux de la plage en allumant des étincelles.

Quand le soleil était un peu plus haut, Mondo se mettait debout,
parce qu'il avait froid. Il ôtait ses habits. L'eau de la mer était plus
590   douce et plus tiède que l'air, et Mondo se plongeait jusqu'au cou.
Il penchait son visage, il ouvrait ses yeux dans l'eau pour voir le
fond. Il entendait le crissement fragile des vagues qui déferlaient,
et cela faisait une musique qu'on ne connaît pas sur la terre.

Mondo restait longtemps dans l'eau, jusqu'à ce que ses doigts
595   deviennent blancs et que ses jambes se mettent à trembler. Alors
il retournait s'asseoir sur la plage, le dos contre le mur de soutien
de la route, et il attendait les yeux fermés que la chaleur du soleil
enveloppe son corps.

Au-dessus de la ville, les collines semblaient plus proches. La
600   belle lumière éclairait les arbres et les façades blanches des villas,
et Mondo disait encore :

« Il faudra que j'aille voir ça. »

Puis il se rhabillait et quittait la plage.

C'était un jour de fête, et il n'y avait rien à craindre du Ciapacan.
605   Les jours de fête, les chiens et les enfants pouvaient vagabonder
librement dans les rues.

L'ennui, c'est que tout était fermé. Les marchands ne venaient
pas vendre leurs légumes, les boulangeries avaient leur rideau
de fer baissé. Mondo avait faim. En passant devant la boutique
610   d'un glacier qui s'appelait La Boule de Neige, il avait acheté un
cornet de glace à la vanille, et il la mangeait en marchant dans
les rues.

Maintenant, le soleil éclairait bien les trottoirs. Mais les gens ne
se montraient pas. Ils devaient être fatigués. De temps en temps,

---

1. **Hippocampes** : petits poissons dont la tête ressemble à celle d'un cheval.

615 quelqu'un venait, et Mondo le saluait, mais on le regardait avec
étonnement parce qu'il avait les cheveux et les cils blanchis par
le sel et le visage bruni par le soleil. Peut-être que les gens le
prenaient pour un mendiant.

Mondo regardait les vitrines des magasins en léchant sa glace.
620 Au fond d'une vitrine où la lumière était allumée, il y avait un
grand lit en bois rouge, avec des draps et un oreiller à fleurs,
comme si quelqu'un allait s'y coucher et dormir. Un peu plus
loin, il y avait une vitrine remplie de cuisinières très blanches,
et une rôtissoire où tournait lentement un poulet en carton.
625 Tout cela était bizarre. Sous la porte d'un magasin, Mondo
avait trouvé un journal illustré, et il s'était assis sur un banc
pour le lire.

Le journal racontait une histoire avec des photos en couleurs
qui montraient une belle femme blonde en train de faire la
630 cuisine et de jouer avec ses enfants. C'était une longue histoire,
et Mondo la lisait à haute voix, en approchant les photos de ses
yeux pour que les couleurs se mélangent.

« Le garçon s'appelle Jacques et la fille s'appelle Camille. Leur
maman est dans la cuisine et elle fait toutes sortes de bonnes
635 choses à manger, du pain, du poulet rôti, des gâteaux. Elle leur a
demandé : qu'est-ce que vous voulez manger de bon aujourd'hui ?
Fais-nous une grande tarte aux fraises, s'il te plaît, a dit Jacques.
Mais leur maman a dit qu'il n'y avait pas de fraises, il n'y avait
que des pommes. Alors Camille et Jacques ont pelé les pommes
640 et les ont coupées en petits morceaux, et leur maman a fait la
tarte. Elle fait cuire la tarte dans le four. Ça sent très bon dans
toute la maison. Quand la tarte est cuite, leur maman la met
sur la table et la coupe en tranches. Jacques et Camille mangent
la bonne tarte en buvant du chocolat chaud. Ensuite ils disent :
645 jamais on n'avait mangé une tarte aussi bonne ! »

Quand Mondo avait fini de lire l'histoire, il cachait le journal
illustré dans un buisson du jardin, pour la relire plus tard. Il
aurait bien voulu acheter un autre illustré, une histoire d'Akim

dans la jungle, par exemple, mais le marchand de journaux
650 était fermé.

Au centre du jardin, il y avait un retraité des Postes qui dormait
sur un banc. À côté du retraité, sur le banc, il y avait un journal
déplié et un chapeau.

Quand le soleil montait dans le ciel, la lumière était plus douce.
655 Les autos commençaient à circuler dans les rues en klaxonnant.
À l'autre bout du jardin, près de la sortie, un petit garçon jouait
avec un tricycle rouge. Mondo s'arrêtait à côté de lui.

« Il est à toi ? » demandait-il.

« Oui », disait le petit garçon.

660 « Tu me le prêtes ? »

Le petit garçon serrait le guidon de toutes ses forces.

« Non ! Non ! Va-t'en ! »

« Comment il s'appelle, ton vélo ? »

Le petit garçon baissait la tête sans répondre, puis il disait
665 très vite :

« Mini. »

« Il est très beau », disait Mondo.

Il regardait encore un peu le tricycle, le cadre peint en rouge,
la selle noire, le guidon et les garde-boue chromés. Il faisait mar-
670 cher la sonnette une ou deux fois, mais le petit garçon l'écartait
et s'en allait en pédalant.

Sur la place du marché, il n'y avait pas grand monde. Les gens
allaient à la messe par petits groupes, ou bien se promenaient
vers la mer. C'était les jours de fête que Mondo aurait bien voulu
675 rencontrer quelqu'un pour lui demander :

« Est-ce que vous voulez m'adopter ? »

Mais peut-être que ces jours-là, personne ne l'aurait entendu.

Mondo entrait dans les halls des immeubles, au hasard. Il s'arrêtait pour regarder les boîtes aux lettres vides, et les tableaux
680 d'incendie. Il pressait sur le bouton de la minuterie, et il écoutait
un instant le tic-tac, jusqu'à ce que la lumière s'éteigne. Au fond
du hall, il y avait les premières marches des escaliers, la rampe

de bois ciré, et un grand miroir terne encadré par des statues de plâtre. Mondo avait envie de faire un tour en ascenseur, mais il n'osait pas, parce que c'est défendu de laisser les enfants jouer avec l'ascenseur.

Une jeune femme entrait dans l'immeuble. Elle était belle, avec des cheveux châtains ondulés et une robe claire qui bruissait autour d'elle. Elle sentait bon.

Mondo était sorti de l'encoignure de la porte, et elle avait sursauté.

« Qu'est-ce que tu veux ? »

« Est-ce que je peux monter dans l'ascenseur avec vous ? »

La jeune femme souriait gentiment.

« Bien sûr, voyons ! Viens ! »

L'ascenseur bougeait un peu sous les pieds comme un bateau.

« Où est-ce que tu vas ? »

« Tout à fait en haut. »

« Au sixième ? Moi aussi. »

L'ascenseur montait doucement. Mondo regardait à travers les vitres les plafonds qui reculaient. Les portes vibraient, et à chaque étage on entendait un drôle de claquement. On entendait aussi les câbles siffler dans la cage de l'ascenseur.

« Tu habites ici ? »

La jeune femme regardait Mondo avec curiosité.

« Non madame. »

« Tu vas voir des amis ? »

« Non madame, je me promène. »

« Ah ? »

La jeune femme regardait toujours Mondo. Elle avait de grands yeux calmes et doux, un peu humides. Elle avait ouvert son sac à main et elle avait donné à Mondo un bonbon enveloppé dans du papier transparent.

Mondo regardait les étages passer très lentement. « C'est haut, comme en avion », disait Mondo.

« Tu es déjà allé en avion ? »

« Oh non, madame, pas encore. Ça doit être bien. » La jeune femme riait un peu.

720 « Ça va plus vite que l'ascenseur, tu sais ! »

« Ça va plus haut aussi ! »

« Oui, beaucoup plus haut ! »

L'ascenseur était arrivé avec un gémissement, et une secousse. La jeune femme sortait.

725 « Tu descends ? »

« Non », disait Mondo ; « je vais retourner en bas tout de suite. »

« Ah oui ? Comme tu veux. Pour redescendre, tu appuies sur l'avant-dernier bouton, là. Fais attention à ne pas toucher au

730 bouton rouge, c'est la sonnette d'alarme. »

Avant de refermer la porte, elle souriait encore.

« Bon voyage ! »

« Au revoir ! » disait Mondo.

Quand il était sorti de l'immeuble, Mondo avait vu que le soleil

735 était haut dans le ciel, presque à sa place de midi. Les journées passaient vite, du matin jusqu'au soir. Si on n'y prenait pas garde, elles s'en allaient plus vite encore. C'est pour cela que les gens étaient toujours si pressés. Ils se dépêchaient de faire tout ce qu'ils avaient à faire avant que le soleil ne redescende.

740 À midi, les gens marchaient à grandes enjambées dans les rues de la ville. Ils sortaient des maisons, montaient dans les autos, claquaient les portières. Mondo aurait bien voulu leur dire : « Attendez ! Attendez-moi ! » Mais personne ne faisait attention à lui.

Comme son cœur battait trop vite et trop fort, lui aussi, Mondo

745 s'arrêtait dans les coins. Il restait immobile, les bras croisés, et il regardait la foule qui avançait dans la rue. Ils n'avaient plus l'air fatigué comme au matin. Ils marchaient vite, en faisant du bruit avec leurs pieds, en parlant et en riant très fort.

Au milieu d'eux, une vieille femme progressait lentement sur

750 le trottoir, le dos courbé, sans voir personne. Son sac à provisions

était rempli de nourriture, et il pesait si lourd qu'il touchait le sol à chaque pas. Mondo s'approchait d'elle et l'aidait à porter son sac. Il entendait la respiration de la vieille femme qui soufflait un peu derrière lui.

755　La vieille femme s'était arrêtée devant la porte d'un immeuble gris, et Mondo avait monté l'escalier avec elle. Il pensait que la vieille femme était peut-être sa grand-mère, ou bien sa tante, mais il ne lui parlait pas, parce qu'elle était un peu sourde. La vieille femme avait ouvert une porte, au quatrième étage, et elle était allée 760　dans sa cuisine pour couper une tranche de pain d'épice rassis. Elle l'avait donnée à Mondo, et il avait vu que sa main tremblait beaucoup. Sa voix aussi tremblait quand elle avait dit :

«Dieu te bénisse. »

Un peu plus loin, dans la rue, Mondo sentait qu'il devenait 765　très petit. Il marchait au ras du mur, et les gens autour de lui devenaient hauts comme des arbres, avec des visages lointains, comme les balcons des immeubles. Mondo se faufilait parmi tous ces géants, qui faisaient des enjambées considérables. Il évitait des femmes hautes comme des tours d'église, vêtues d'immenses 770　robes à pois, et des hommes larges comme des falaises, vêtus de complets bleus et de chemises blanches. C'était peut-être la lumière du jour qui causait cela, la lumière qui agrandit les choses et raccourcit les ombres. Mondo se glissait au milieu d'eux, et seuls ceux qui regardent vers le bas pouvaient le voir. Il n'avait 775　pas peur, sauf de temps en temps pour traverser les rues. Mais il cherchait quelqu'un, partout dans la ville, dans les jardins, sur la plage. Il ne savait pas très bien qui il cherchait, ni pourquoi, mais quelqu'un, comme cela, simplement pour lui dire très vite et tout de suite après lire la réponse dans ses yeux :

780　« Est-ce que vous voulez bien m'adopter ? »

C'est environ à cette époque-là que Mondo avait rencontré Thi Chin, quand les journées étaient belles et les nuits longues et chaudes. Mondo était sorti de sa cachette du soir, à la base de la digue. Le vent tiède soufflait de la terre, le vent sec qui rend 785 les cheveux électriques et fait brûler les forêts de chênes-lièges. Sur les collines, au-dessus de la ville, Mondo voyait une grande fumée blanche qui s'étalait dans le ciel.

Mondo avait regardé un moment les collines éclairées par le soleil, et il avait pris le chemin qui conduit vers elles. C'était un 790 chemin sinueux, qui se transformait de loin en loin en escaliers avec de larges marches de ciment quadrillé. De chaque côté du chemin, il y avait des caniveaux remplis de feuilles mortes et de bouts de papier.

Mondo aimait bien monter les escaliers. Ils zigzaguaient à travers 795 la colline, sans se presser, comme s'ils allaient nulle part. Tout le long du chemin, il y avait de hauts murs de pierre surmontés de tessons[1] de bouteille, de sorte qu'on ne savait pas où on était. Mondo montait lentement les marches en regardant s'il n'y avait rien d'intéressant dans les caniveaux. Quelquefois on 800 trouvait une pièce de monnaie, un clou rouillé, une image, ou un fruit bizarre.

Plus on montait, plus la ville devenait plate, avec tous les rectangles des immeubles et les lignes droites des rues où bougeaient les autos rouges et bleues. La mer aussi devenait plate, sous la 805 colline, elle brillait comme une plaque de fer-blanc. Mondo se

---

1. Tessons : morceaux de verre.

retournait de temps en temps pour regarder tout cela entre les branches des arbres et par-dessus les murs des villas.

Il n'y avait personne dans les escaliers, sauf une fois, un gros chat tigré tapi dans le caniveau, qui mangeait des restes de viande dans une boîte de conserve rouillée. Le chat s'était aplati, les oreilles rabattues, et il avait regardé Mondo avec ses pupilles arrondies dans ses yeux jaunes.

Mondo était passé à côté de lui sans rien dire. Il avait senti les pupilles noires qui continuaient à le regarder, jusqu'à ce qu'il ait tourné au virage.

Mondo montait sans faire de bruit. Il posait ses pieds très doucement, en évitant les brindilles et les graines, il glissait très silencieusement, comme une ombre.

Cet escalier n'était pas très raisonnable. Tantôt il était raide, avec de petites marches courtes et hautes qui essoufflaient. Tantôt il était paresseux, il s'étirait lentement entre les propriétés et les terrains vagues. Parfois même il avait l'air de vouloir redescendre.

Mondo n'était pas pressé. Il avançait en zigzaguant lui aussi, d'un mur à l'autre. Il s'arrêtait pour regarder dans les caniveaux, ou pour arracher des feuilles aux arbres. Il prenait une feuille de poivrier et il l'écrasait entre ses doigts pour sentir l'odeur qui pique le nez et les yeux. Il cueillait les fleurs du chèvrefeuille et il suçait la petite goutte sucrée qui perle à sa base du calice[1]. Ou bien il faisait de la musique avec une lame d'herbe pressée contre ses lèvres.

Mondo aimait bien marcher ici, tout seul, à travers la colline. À mesure qu'il montait, la lumière du soleil devenait de plus en plus jaune, douce, comme si elle sortait des feuilles des plantes et des pierres des vieux murs. La lumière avait imprégné la terre pendant le jour, et maintenant elle sortait, elle répandait sa chaleur, elle gonflait ses nuages.

---

1. Calice : partie de la fleur sur laquelle reposent les pétales.

Il n'y avait personne sur la colline. C'était sans doute à cause de la fin de l'après-midi, et aussi parce que ce quartier-là était un peu abandonné. Les villas étaient enfouies dans les arbres, elles n'étaient pas tristes, mais elles avaient l'air de somnoler, avec leurs grilles rouillées et leurs volets écaillés qui fermaient mal.

Mondo écoutait les bruits des oiseaux dans les arbres, les craquements légers des branches dans le vent. Il y avait surtout le bruit d'un criquet, un sifflement strident qui se déplaçait sans cesse et semblait avancer en même temps que Mondo. Par instants, il s'éloignait un peu, puis il revenait, si proche que Mondo se retournait pour essayer de voir l'insecte. Mais le bruit repartait, et reparaissait devant lui, ou bien au-dessus, au sommet du mur. Mondo l'appelait à son tour, en sifflant dans la feuille d'herbe. Mais le criquet ne se montrait pas. Il préférait rester caché.

Tout à fait en haut de la colline, à cause de la chaleur, les nuages étaient apparus. Ils voguaient tranquillement vers le nord et, quand ils passaient près du soleil, Mondo sentait l'ombre sur son visage. Les couleurs changeaient, bougeaient, la lumière jaune s'allumait, s'éteignait.

Ça faisait longtemps que Mondo avait envie d'aller jusqu'en haut de la colline. Il l'avait regardée souvent, de ses cachettes au bord de la mer, avec tous ses arbres et sa belle lumière qui brillait sur les façades des villas et rayonnait dans le ciel comme une auréole. C'était pour cela qu'il voulait monter sur la colline, parce que le chemin d'escaliers semblait conduire vers le ciel et la lumière. C'était vraiment une belle colline, juste au-dessus de la mer, tout près des nuages, et Mondo l'avait regardée longtemps, le matin, quand elle était encore grise et lointaine, le soir, et même la nuit quand elle scintillait de toutes les lumières électriques. Maintenant il était content de grimper sur elle.

Dans les tas de feuilles mortes, le long des murs, les salamandres[1] s'enfuyaient. Mondo essayait de les surprendre, en s'approchant

---

1. Salamandres : petits batraciens ayant la forme d'un lézard.

sans bruit ; mais elles l'entendaient quand même, et elles couraient se cacher dans les fissures.

Mondo appelait un peu les salamandres, en sifflant entre ses dents. Il aurait bien aimé avoir une salamandre. Il pensait qu'il pourrait l'apprivoiser et la mettre dans la poche de son pantalon pour se promener. Il attraperait des mouches pour lui donner à manger et, quand il s'assiérait au soleil, sur la plage, ou dans les rochers de la digue, elle sortirait de sa poche et monterait sur son épaule. Elle resterait là sans bouger, en faisant palpiter sa gorge, parce que c'est comme cela que les salamandres ronronnent.

Puis Mondo était arrivé devant la porte de la Maison de la Lumière d'Or. Mondo l'avait appelée comme cela la première fois qu'il y était entré, et depuis ce nom est resté. C'était une belle maison ancienne, de type italien, recouverte de plâtre jaune-orange, avec de hautes fenêtres aux volets déglingués et une vigne vierge qui envahissait le perron. Autour de la maison, il y avait un jardin pas très grand, mais tellement envahi de ronces et de mauvaises herbes qu'on n'en voyait pas les limites. Mondo avait poussé la porte de fer, et il avait marché sur l'allée de gravier qui menait à la maison, sans faire de bruit. La maison jaune était simple, sans ornements de stucs ni mascarons[1], mais Mondo pensait qu'il n'avait jamais vu une maison aussi belle.

Dans le jardin en désordre, devant la maison, il y avait deux beaux palmiers qui s'élevaient au-dessus du toit et, quand le vent soufflait un peu, leurs palmes grattaient les gouttières et les tuiles. Autour des palmiers, les buissons étaient épais, sombres, parcourus par de grandes ronces violettes qui rampaient sur le sol comme des serpents.

Ce qui était beau surtout, c'était la lumière qui enveloppait la maison. C'était pour elle que Mondo avait tout de suite donné

---

1. Stucs, mascarons : décorations ornant les façades ou les colonnes d'une maison.

900 ce nom à la maison, la Maison de la Lumière d'Or. La lumière du soleil de la fin d'après-midi avait une couleur très douce et calme, une couleur chaude comme les feuilles de l'automne ou comme le sable, qui vous baignait et vous enivrait. Tandis qu'il avançait lentement sur le chemin de gravier, Mondo sentait la

905 lumière qui caressait son visage. Il avait envie de dormir, et son cœur battait au ralenti. Il respirait à peine.

Le chant du criquet résonnait à nouveau avec force, comme s'il sortait des buissons du jardin. Mondo s'arrêtait pour l'écouter, puis il marchait lentement vers la maison, prêt à s'enfuir au cas

910 où serait venu un chien. Mais il n'y avait personne. Autour de lui, les plantes du jardin étaient immobiles, leurs feuilles étaient lourdes de chaleur.

Mondo entrait dans les broussailles. À quatre pattes, il se glissait sous les branches des arbustes, il écartait les ronces. Il s'instal-

915 lait dans une cachette, sous le couvert des buissons, et, de là, il contemplait la maison jaune.

La lumière déclinait presque imperceptiblement sur la façade de la maison. Il n'y avait pas un bruit, sauf la voix du criquet et le murmure aigu des moustiques qui dansaient autour des

920 cheveux de Mondo. Assis par terre, sous les feuilles d'un laurier, Mondo regardait fixement la porte de la maison, et les marches de l'escalier en demi-lune qui conduisait au perron. L'herbe poussait à la jointure des marches. Au bout d'un moment, Mondo s'était couché en chien de fusil sur la terre, la tête appuyée sur

925 son coude.

C'était bien de dormir comme cela, au pied de l'arbre qui sent fort, pas très loin de la Maison de la Lumière d'Or, tout entouré de chaleur et de paix, avec la voix stridente du criquet qui allait et venait sans cesse. Quand tu dormais, Mondo, tu n'étais pas là.

930 Tu étais parti ailleurs, loin de ton corps. Tu avais laissé ton corps endormi par terre, à quelques mètres du chemin de gravier, et tu te promenais ailleurs. C'est cela qui était bizarre. Ton corps

restait sur la terre, il respirait tranquillement, le vent poussait
les ombres des nuages sur ton visage aux yeux fermés. Les mous-
935 tiques tigrés dansaient autour de tes joues, les fourmis noires
exploraient tes vêtements et tes mains. Tes cheveux s'agitaient
un peu dans le vent du soir. Mais toi, tu n'étais pas là. Tu étais
ailleurs, parti dans la lumière chaude de la maison, dans l'odeur
des feuilles du laurier, dans l'humidité qui sortait des miettes de
940 terre. Les araignées tremblaient sur leur fil, car c'était l'heure
où elles s'éveillaient. Les vieilles salamandres noires et jaunes
se glissaient hors de leurs fissures, sur le mur de la maison, et
elles restaient à te regarder, accrochées par leurs pattes aux
doigts écartés. Tout le monde te regardait, parce que tu avais les
945 yeux fermés. Et quelque part à l'autre bout du jardin, entre un
massif de ronces et un buisson de houx, près d'un vieux cyprès
desséché, l'insecte-pilote faisait sans se lasser son bruit de scie,
pour te parler, pour t'appeler. Mais toi, tu ne l'entendais pas,
tu étais parti au loin.

950 « Qui es-tu ? » demandait la voix aiguë.
Maintenant, devant Mondo, il y avait une femme, mais elle était
si petite que Mondo avait cru un instant que c'était une enfant.
Ses cheveux noirs étaient coupés en rond autour de son visage,
et elle était vêtue d'un long tablier bleu-gris.
955 Elle souriait.
« Qui es-tu ? »
Mondo était debout, à peine plus petit qu'elle. Il bâillait.
« Tu dormais ? »
« Excusez-moi », dit Mondo. « Je suis entré dans votre jardin,
960 j'étais un peu fatigué, alors j'ai dormi un peu. Je vais partir main-
tenant. »
« Pourquoi veux-tu partir tout de suite ? Tu n'aimes pas le jar-
din ? »
« Si, il est très beau », dit Mondo. Il cherchait sur le visage de la
965 petite femme un signe de colère. Mais elle continuait à sourire.

Ses yeux bridés avaient une expression curieuse, comme les chats.
Autour des yeux et de la bouche, il y avait des rides profondes,
et Mondo pensait que la femme était vieille.

«Viens voir la maison aussi», dit-elle.

970 Elle montait le petit escalier en demi-lune et elle ouvrait la
porte.

«Viens donc!»

Mondo entrait derrière elle. C'était une grande salle presque
vide, éclairée sur les quatre côtés par de hautes fenêtres. Au centre
975 de la salle, il y avait une table de bois et des chaises, et sur la table
un plateau laqué portant une théière noire et des bols. Mondo
restait immobile sur le seuil, regardant la salle et les fenêtres.
Les fenêtres étaient faites de petits carreaux de verre dépoli, et
la lumière qui entrait était encore plus chaude et dorée. Mondo
980 n'avait jamais vu une lumière aussi belle.

La petite femme était debout devant la table et elle versait le
thé dans les bols.

«Est-ce que tu aimes le thé?»

«Oui», dit Mondo.

985 «Alors viens t'asseoir ici.»

Mondo, s'asseyait lentement sur le bord de la chaise et il buvait.
Le breuvage était couleur d'or aussi, il brûlait les lèvres et la
gorge.

«C'est chaud», dit-il.

990 La petite femme buvait une gorgée sans bruit.

«Tu ne m'as pas dit qui tu étais», dit-elle. Sa voix était comme
une musique douce.

«Je suis Mondo», dit Mondo.

La petite femme le regardait en souriant. Elle semblait plus
995 petite encore sur sa chaise.

«Moi, je suis Thi Chin.»

«Vous êtes chinoise?» demandait Mondo. La petite femme
secouait la tête.

«Je suis vietnamienne, pas chinoise.»

1000 « C'est loin, votre pays ? »

« Oui, c'est très très loin. »

Mondo buvait le thé et sa fatigue s'en allait.

« Et toi, d'où viens-tu ? Tu n'es pas d'ici, n'est-ce pas ? »

Mondo ne savait pas trop ce qu'il fallait dire.

1005 « Non, je ne suis pas d'ici », dit-il. Il écartait les mèches de ses cheveux en baissant la tête. La petite femme ne cessait pas de sourire, mais ses yeux étroits étaient un peu inquiets soudain.

« Reste encore un instant », dit-elle. « Tu ne veux pas partir tout de suite ? »

1010 « Je n'aurais pas dû entrer dans votre jardin », dit Mondo. « Mais la porte était ouverte, et j'étais un peu fatigué. »

« Tu as bien fait d'entrer », dit simplement Thi Chin. « Tu vois, j'avais laissé la porte ouverte pour toi. »

« Alors vous saviez que j'allais venir ? » dit Mondo. Cette idée 1015 le rassurait.

Thi Chin faisait oui de la tête, et elle tendait à Mondo une boîte de fer-blanc pleine de macarons.

« Tu as faim ? »

« Oui », dit Mondo. Il grignotait le macaron en regardant les 1020 grandes fenêtres par où entrait la lumière.

« C'est beau », dit-il. « Qu'est-ce qui fait tout cet or ? »

« C'est la lumière du soleil », dit Thi Chin.

« Alors vous êtes riche ? »

Thi Chin riait.

1025 « Cet or-là n'appartient à personne. »

Ils regardaient la belle lumière comme dans un rêve.

« C'est comme cela dans mon pays », disait Thi Chin à voix basse. « Quand le soleil se couche, le ciel devient comme cela, tout jaune, avec de petits nuages noirs très légers, on dirait des 1030 plumes d'oiseau. »

La lumière d'or emplissait toute la pièce et Mondo se sentait plus calme et plus fort, comme après avoir bu le thé chaud.

« Tu aimes ma maison ? » demandait Thi Chin.

« Oui madame », disait Mondo. Ses yeux reflétaient la couleur
1035 du soleil.

« Alors c'est ta maison aussi, quand tu veux. »

C'est comme cela que Mondo avait fait connaissance avec Thi
Chin et la Maison de la Lumière d'Or. Il était resté longtemps
dans la grande salle à regarder les fenêtres. La lumière restait
1040 jusqu'à ce que le soleil disparaisse complètement derrière les
collines. Même à ce moment-là, les murs de la salle étaient si
imprégnés d'elle que c'était comme si elle ne pouvait pas s'éteindre. Puis l'ombre était venue, et tout était devenu gris, les murs,
les fenêtres, les cheveux de Mondo. Le froid était venu aussi. La
1045 petite femme s'était levée pour allumer une lampe, puis elle avait
emmené Mondo dans le jardin pour regarder la nuit. Au-dessus
des arbres, les étoiles brillaient et il y avait un mince croissant
de lune.

Cette nuit-là, Mondo avait dormi sur des coussins, au fond de
1050 la grande salle. Il avait dormi là les autres nuits aussi, parce qu'il
aimait bien cette maison. Quelquefois, quand la nuit était chaude,
il dormait dans le jardin, sous le laurier, ou sur les marches du
perron, devant la porte. Thi Chin ne parlait pas beaucoup, et
c'est peut-être pour cela qu'il l'aimait bien. Depuis qu'elle lui
1055 avait demandé son nom et d'où il venait, la première fois, elle
ne lui posait plus de questions. Simplement, elle le prenait par
la main et elle lui montrait des choses amusantes, dans le jardin,
ou dans la maison. Elle lui montrait les cailloux qui ont des
formes et des dessins bizarres, les feuilles d'arbre aux nervures
1060 fines, les graines rouges des palmiers, les petites fleurs blanches
et jaunes qui poussent entre les pierres. Elle lui portait dans sa
main des scarabées noirs, des mille-pattes, et Mondo lui donnait
en échange des coquilles et des plumes de mouette qu'il avait
trouvées au bord de la mer.
1065 Thi Chin lui donnait à manger du riz et un bol de légumes
rouges et verts à moitié cuits, et toujours du thé chaud dans les
petits bols blancs. Quelquefois, quand la nuit était très noire, Thi

Chin prenait un livre d'images et elle lui racontait une histoire ancienne. C'était une longue histoire qui se passait dans un pays inconnu où il y avait des monuments aux toits pointus, des dragons et des animaux qui savaient parler comme les hommes. L'histoire était si belle que Mondo ne pouvait pas l'entendre jusqu'au bout. Il s'endormait, et la petite femme s'en allait sans faire de bruit, après avoir éteint la lampe. Elle dormait au premier étage, dans une chambre étroite. Le matin, quand elle se réveillait, Mondo était déjà parti.

Il y avait des feux sur la plupart des collines, parce qu'on approchait de l'été. Dans la journée, on voyait les grandes colonnes de
fumée blanche qui tachaient le ciel, et la nuit il y avait des lueurs
1080 rouges inquiétantes, comme des braises de cigarette. Mondo
regardait souvent du côté des incendies, quand il était sur la plage,
ou bien quand il montait le chemin d'escaliers vers la maison
de Thi Chin. Un après-midi, il était même rentré plus tôt que
d'habitude pour arracher les mauvaises herbes qui poussaient
1085 autour de la maison, et quand Thi Chin lui avait demandé ce
qu'il faisait, il avait dit :

« C'est pour que le feu ne puisse pas venir ici. »

Maintenant qu'il dormait presque toutes les nuits dans la Maison
de la Lumière d'Or, ou dans le jardin, il avait moins peur de la
1090 camionnette grise du Ciapacan. Il n'allait plus dans les cachettes
des rochers, près de la digue. Dès que le jour se levait, il partait
se baigner dans la mer. Il aimait bien la mer transparente du
matin, le bruit étrange des vagues quand on a la tête sous l'eau,
et les cris des mouettes dans le ciel. Puis il allait voir du côté du
1095 marché, pour décharger quelques caisses, et pour glaner les
fruits et les légumes. Il les rapportait ensuite à Thi Chin pour
le repas du soir.

Après midi, il allait parler un peu avec le Gitan, qui était assis à
rêver sur le marchepied de sa voiture. Ils ne se disaient pas grand-
1100 chose, mais le Gitan avait l'air content de le voir. Le Cosaque
venait ensuite, avec une bouteille d'alcool. Il était toujours un
peu saoul, et il criait avec sa grosse voix :

« Hé ! Mon ami Mondo ! »

Il y avait aussi une femme qui venait quelquefois, une grosse
femme au visage rouge et aux yeux très clairs, qui savait lire l'ave-
nir dans les mains des passants ; mais Mondo s'en allait quand
elle arrivait, parce qu'il ne l'aimait pas.

Il partait à la recherche du vieux Dadi. Ce n'était pas facile
de le trouver, parce que le vieil homme changeait souvent de
place. Il était assis sur les feuilles de journal, sa petite valise jaune
percée de trous à côté de lui, et les gens qui passaient croyaient
qu'il mendiait. En général, Mondo le rencontrait sur le parvis[1]
des églises, et il s'asseyait à côté de lui. Mondo aimait bien quand
il parlait, parce qu'il savait beaucoup d'histoires sur les pigeons
voyageurs et sur les colombes. Il parlait de leur pays, un pays où
il y a beaucoup d'arbres, des fleuves tranquilles, des champs très
verts et un ciel doux. Auprès des maisons, il y a ces tours pointues,
couvertes de tuiles rouges et vertes, où vivent les colombes et les
pigeons. Le vieux Dadi parlait avec sa voix lente, et c'était comme
le vol des oiseaux dans le ciel, qui hésite et tourne en rond autour
des villages. Mais il ne parlait de cela à personne d'autre.

Quand Mondo était assis sur le parvis des églises avec le vieux
Dadi, les gens étaient un peu étonnés. Ils s'arrêtaient pour regarder le petit garçon et le vieil homme avec ses colombes, et ils
donnaient davantage de pièces parce qu'ils étaient émus. Mais
Mondo ne restait pas très longtemps à mendier, parce qu'il y
avait toujours une ou deux femmes qui n'aimaient pas voir cela
et qui commençaient à poser des questions. Et puis il fallait faire
attention au Ciapacan. Si la camionnette grise était passée à ce
moment-là, sûrement les hommes en uniforme seraient sortis
et l'auraient emmené. Ils auraient peut-être même emmené le
vieux Dadi et ses colombes.

Un jour, il y avait eu un grand vent, et le Gitan avait dit à
Mondo :

« Allons voir la bataille des cerfs-volants. »

---

1. Parvis : espace situé devant l'entrée d'une église.

C'était seulement les dimanches de grand vent que les batailles de cerfs-volants avaient lieu. Ils étaient arrivés sur la plage de bonne heure, et les enfants étaient déjà là avec leurs cerfs-volants. Il y en avait de toutes sortes et de toutes les couleurs, des cerfs-volants en forme de losange, ou de carré, monoplans ou biplans, sur lesquels étaient peintes des têtes d'animaux. Mais le plus beau cerf-volant appartenait à un homme d'une cinquantaine d'années, qui se tenait tout à fait au bout de la plage. C'était comme un grand papillon jaune et noir aux ailes immenses. Quand il l'avait lancé, tout le monde s'était arrêté de bouger pour regarder. Le grand papillon jaune et noir avait plané un instant à quelques mètres de la mer, puis l'homme avait tiré sur le fil et il s'était cabré. Alors le vent s'était engouffré dans ses ailes et il avait commencé son ascension. Le cerf-volant montait dans le ciel, très loin au-dessus de la mer. Le vent qui soufflait faisait claquer la toile de ses ailes. Sur la plage, l'homme ne bougeait presque pas. Il dévidait la bobine de fil, et son regard était fixé sur le papillon jaune et noir qui se balançait au-dessus de la mer. De temps en temps, l'homme tirait sur le fil, l'enroulait sur la bobine, et le cerf-volant montait encore plus haut dans le ciel. Maintenant il était plus haut que tous les autres, il planait au-dessus de la plage avec ses ailes étendues. Il restait là, il planait sans effort, dans le vent violent, si loin de la terre qu'on ne voyait plus le fil qui le retenait.

Quand Mondo et le Gitan s'étaient approchés, l'homme avait donné la bobine et le fil à Mondo.

« Tiens-le bien ! » dit-il.

Il s'était assis sur la plage et il avait allumé une cigarette.

Mondo essayait de résister au vent.

« Si ça tire trop, tu donnes un peu, puis tu reprends après. »

À tour de rôle, Mondo, le Gitan et l'homme avaient tenu le cerf-volant, jusqu'à ce que tous les autres, fatigués, retombent dans la mer. Tout le monde avait la tête renversée en l'air et regardait le grand papillon jaune et noir qui continuait à planer.

1170 C'était vraiment le champion des cerfs-volants, il n'y en avait pas d'autre qui sache monter si haut et voler si longtemps.

Alors, très lentement, l'homme avait fait descendre le grand papillon, mètre par mètre. Le cerf-volant tanguait dans le vent, et on entendait les détonations de l'air dans sa voile, et le sifflement 1175 aigu du fil. C'était le moment le plus dangereux, parce que le fil pouvait se rompre sous la tension, et l'homme avançait un peu en enroulant la bobine. Quand le cerf-volant avait été tout près du rivage, l'homme s'était déplacé sur le côté, en tirant d'un seul coup, puis en lâchant le fil, et le cerf-volant avait atterri sur 1180 les galets, très lentement, comme un avion.

Après, comme ils étaient fatigués, ils étaient restés assis sur la plage. Le Gitan avait acheté des hot dogs et ils avaient mangé en regardant la mer. L'homme avait raconté à Mondo les batailles, sur les plages de Turquie, quand on attachait des lames de rasoir 1185 aux queues des cerfs-volants. Quand ils étaient très haut dans le ciel, on les lançait les uns contre les autres, pour essayer de les faire tomber. Les lames de rasoir coupaient les voiles. Une fois, il y avait bien longtemps, il avait même réussi à couper le fil d'un cerf-volant qui avait disparu au loin, emporté par le vent comme 1190 une feuille morte. Les jours de grand vent, les enfants faisaient voler les cerfs-volants par centaines, et le ciel bleu était couvert de taches multicolores.

« Ça devait être beau », disait Mondo.

« Oui, c'était beau. Mais maintenant les gens ne savent plus », 1195 disait l'homme. Il se levait et il enveloppait le grand papillon jaune et noir dans une feuille de plastique.

« La prochaine fois, je t'apprendrai comment on fait un vrai cerf-volant », disait l'homme. « Au mois de septembre, c'est la bonne saison, et tu peux faire voler ton cerf-volant comme un 1200 oiseau, presque sans le toucher. »

Mondo pensait qu'il ferait le sien tout blanc, comme une mouette.

Il y avait aussi quelqu'un que Mondo aimait bien aller voir, de temps en temps. C'était un bateau qui s'appelait *Oxyton*. La première
1205 fois qu'il l'avait rencontré, c'était l'après-midi, vers deux heures, quand le soleil frappait sur l'eau du port. Le bateau était amarré au quai, au milieu des autres bateaux, et il se dandinait sur l'eau. Ce n'était pas du tout un grand bateau, comme tous ceux qui ont des proues comme des nez de requin et qui portent de grandes
1210 voiles blanches. Non, *Oxyton*, c'était simplement une barque avec un gros ventre et un mât court à l'avant, mais Mondo l'avait trouvé bien sympathique. Il avait demandé son nom à quelqu'un qui travaillait sur le port, et le nom aussi lui avait plu.

Alors, il venait le voir souvent, quand il était dans les environs.
1215 Il s'arrêtait sur le bord du quai, et il répétait son nom à voix haute, en chantant un peu :

« Oxyton ! Oxyton ! »

Le bateau tirait sur son amarre, revenait cogner contre le quai, repartait. Sa coque était bleu et rouge, avec un liséré blanc. Mondo
1220 s'asseyait sur le quai, à côté de l'anneau d'amarrage, et il regardait *Oxyton* en mangeant une orange. Il regardait aussi les reflets du soleil dans l'eau, les vagues molles qui faisaient bouger la coque. *Oxyton* avait l'air de s'ennuyer, parce que personne ne le sortait jamais. Alors Mondo sautait dans le bateau. Il s'asseyait sur la
1225 banquette de bois, à la poupe, et il attendait, en sentant les mouvements des vagues. Le bateau bougeait doucement, tournait un peu, s'éloignait, faisait grincer son amarre. Mondo aurait bien voulu partir avec lui, au hasard, sur la mer. En passant devant la digue, il aurait dit à Giordan le Pêcheur de monter à bord, et
1230 ils seraient partis ensemble sur la mer Rouge.

Mondo restait longtemps assis à l'arrière de la barque, à regarder les reflets du soleil et les bancs de poissons minuscules qui avançaient en vibrant. Quelquefois il chantonnait une chanson pour le bateau, une chanson qu'il avait inventée pour lui :
1235 « Oxyton, Oxyton, Oxyton,
On va s'en aller-er-er

On s'en va pêcher
On s'en va pêcher
Les sardines, les crevettes et les thons ! »

1240   Ensuite Mondo marchait un peu sur les quais, du côté des cargos, parce qu'il avait aussi une amie grue.

Il y avait beaucoup de choses à voir, partout, dans les rues, sur la plage, et dans les terrains vagues. Mondo n'aimait pas tellement les endroits où il y avait beaucoup de gens. Il préférait les

1245 espaces ouverts, là où on voit loin, les esplanades, les jetées qui avancent au milieu de la mer, les avenues droites où roulent les camions-citernes. C'était dans ces endroits-là qu'il pouvait trouver des gens à qui parler, pour leur dire simplement :

« Est-ce que vous voulez m'adopter ? »

1250   C'étaient des gens un peu rêveurs, qui marchaient les mains derrière leur dos en pensant à autre chose. Il y avait des astronomes, des professeurs d'histoire, des musiciens, des douaniers. Il y avait quelquefois un peintre du dimanche, qui peignait des bateaux, des arbres, ou des couchers de soleil, assis sur un stra-

1255 pontin. Mondo restait un moment à côté de lui, à regarder le tableau. Le peintre se retournait et disait :

« Ça te plaît ? »

Mondo faisait oui de la tête. Il montrait un homme et un chien qui marchaient sur le quai, au loin.

1260   « Et eux, vous allez les dessiner aussi ? »

« Si tu veux », disait le peintre. Avec son pinceau le plus fin, il mettait sur la toile une petite silhouette noire qui ressemblait plutôt à un insecte. Mondo réfléchissait un peu, et il disait :

« Vous savez dessiner le ciel ? »

1265   Le peintre s'arrêtait de peindre et le regardait avec étonnement.

« Le ciel ? »

« Oui, le ciel, avec les nuages, le soleil. Ce serait bien. »

Le peintre n'avait jamais pensé à cela. Il regardait le ciel au-

1270 dessus de lui, et il riait.

« Tu as raison, le prochain tableau que je ferai, ce sera rien que le ciel. »

« Avec les nuages et le soleil ? »

« Oui, avec tous les nuages, et le soleil qui éclaire. »

1275 « Ça sera beau », approuvait Mondo. « Je voudrais bien le voir tout de suite. »

Le peintre regardait en l'air.

« Je commencerai demain matin. J'espère qu'il fera beau. »

« Oui, il fera beau demain, et le ciel sera encore plus beau
1280 qu'aujourd'hui », disait Mondo, parce qu'il savait un peu prédire le temps.

Il y avait aussi le rempailleur de chaises[1]. Mondo allait souvent voir le rempailleur de chaises l'après-midi. Il travaillait dans la cour d'un vieil immeuble, avec son petit-fils qui s'appelait Pipo
1285 assis à côté de lui et enveloppé dans un grand veston. Mondo aimait bien voir travailler le rempailleur de chaises, parce que c'était un homme vieux mais qui savait faire bouger ses doigts très vite pour entrelacer et nouer les brins de paille. Son petit-fils restait immobile à côté de lui, avec ce veston qui le couvrait
1290 comme un pardessus, et Mondo s'amusait un peu avec lui. Il lui apportait des choses qu'il avait trouvées en marchant, des galets bizarres de la plage, des touffes d'algues, des coquilles de moules, ou bien des poignées de jolis tessons verts et bleus polis par la mer. Pipo prenait les cailloux et il les regardait longtemps,
1295 puis il les mettait dans les poches du veston. Il ne savait pas parler, mais Mondo l'aimait bien parce qu'il restait assis près de son grand-père sans bouger, enveloppé dans le veston gris qui descendait jusqu'à ses pieds et qui couvrait ses mains comme les vêtements des Chinois. Mondo aimait bien ceux qui savent
1300 rester assis au soleil sans bouger et sans parler et qui ont des yeux un peu rêveurs.

---

1. Rempailleur de chaises : personne dont le métier est de garnir de paille un siège.

Mondo connaissait beaucoup de gens, ici, dans cette ville, mais il n'avait pas tellement d'amis. Ceux qu'il aimait rencontrer, c'étaient ceux qui ont un beau regard brillant et qui sourient quand ils vous voient comme s'ils étaient heureux de vous rencontrer. Alors Mondo s'arrêtait, il leur parlait un peu, il leur posait quelques questions, sur la mer, le ciel ou sur les oiseaux, et quand les gens s'en allaient ils étaient tout transformés. Mondo ne leur demandait pas des choses très difficiles, mais c'étaient des choses que les gens avaient oubliées, auxquelles ils avaient cessé de penser depuis des années, comme par exemple pourquoi les bouteilles sont vertes, ou pourquoi il y a des étoiles filantes. C'était comme si les gens avaient attendu longtemps une parole, juste quelques mots, comme cela, au coin de la rue, et que Mondo savait dire ces mots-là.

C'étaient les questions aussi. La plupart des gens ne savent pas poser les bonnes questions. Mondo savait poser les questions, juste quand il fallait, quand on ne s'y attendait pas. Les gens s'arrêtaient quelques secondes, ils cessaient de penser à eux et à leurs affaires, ils réfléchissaient, et leurs yeux devenaient un peu troubles, parce qu'ils se souvenaient d'avoir demandé cela autrefois.

Il y avait quelqu'un que Mondo aimait bien rencontrer. C'était un homme jeune, assez grand et fort, avec un visage très rouge et des yeux bleus. Il était habillé d'un uniforme bleu foncé et il portait une grosse besace[1] de cuir remplie de lettres. Mondo le rencontrait souvent, le matin, dans le chemin d'escaliers qui montait à travers la colline. La première fois que Mondo lui avait demandé :

« Est-ce que vous avez une lettre pour moi ? »

Le gros homme avait ri. Mais Mondo le croisait chaque jour, et chaque jour il allait vers lui et lui posait la même question :

« Et aujourd'hui ? Est-ce que vous avez une lettre pour moi ? »

---

1. Besace : long sac à deux poches.

Alors l'homme ouvrait sa besace et cherchait.

1335 «Voyons, voyons… C'est comment ton nom, déjà?»

«Mondo», disait Mondo.

«Mondo… Mondo… Non, pas de lettre aujourd'hui.»

Quelquefois tout de même, il sortait de sa besace un petit journal imprimé, ou bien une réclame et il les tendait à Mondo.

1340 «Tiens, aujourd'hui, il y a ça qui est arrivé pour toi.»

Il lui faisait un clin d'œil et il continuait son chemin.

Un jour, Mondo avait très envie d'écrire des lettres, et il avait décidé de chercher quelqu'un pour lui apprendre à lire et à écrire. Il avait marché dans les rues de la ville, du côté des jar-

1345 dins publics, mais il faisait très chaud et les retraités de la Poste n'étaient pas là. Il avait cherché ailleurs, et il était arrivé devant la mer. Le soleil brûlait très fort, et sur les galets de la plage il y avait une poussière de sel qui miroitait. Mondo regardait les enfants qui jouaient au bord de l'eau. Ils étaient vêtus de maillots

1350 de couleurs bizarres, des rouge tomate et des vert pomme, et c'était peut-être pour ça qu'ils criaient si fort en jouant. Mais Mondo n'avait pas envie de s'approcher d'eux.

Près de la bâtisse en bois de la plage privée, Mondo avait vu alors ce vieil homme qui travaillait à égaliser la plage à l'aide

1355 d'un long râteau. C'était un homme vraiment très vieux habillé d'un short bleu délavé et taché. Il avait le corps couleur de pain brûlé, et sa peau était tout usée et ridée comme celle d'un vieil éléphant. L'homme tirait lentement le long râteau sur les galets, de bas en haut de la plage, sans s'occuper des enfants et des

1360 baigneurs. Le soleil luisait sur son dos et sur ses jambes, et la sueur coulait sur son visage. De temps en temps, il s'arrêtait, sortait un mouchoir de la poche de son short et il essuyait son visage et ses mains.

Mondo s'était assis contre le mur, devant le vieil homme. Il avait

1365 attendu longtemps, jusqu'à ce que l'homme ait fini de ratisser son morceau de plage. Quand l'homme était venu s'asseoir près du mur, il avait regardé Mondo. Ses yeux étaient très clairs, d'un gris pâle qui faisait comme deux trous sur la peau brune de son visage. Il ressemblait un peu à un Indien.

1370 Il regardait Mondo comme s'il avait compris son interrogation. Il dit seulement :

« Salut ! »

« Je voudrais que vous m'appreniez à lire et à écrire, s'il vous plaît », dit Mondo.

1375 Le vieil homme restait immobile, mais il n'avait pas l'air étonné.

« Tu ne vas pas à l'école ? »

« Non monsieur », dit Mondo.

Le vieil homme s'asseyait sur la plage, le dos contre le mur, le 1380 visage tourné vers le soleil. Il regardait devant lui, et son expression était très calme et douce, malgré son nez busqué[1] et les rides qui coupaient ses joues. Quand il regardait Mondo, c'était comme s'il voyait à travers lui, parce que ses iris étaient si clairs. Puis il y avait une lueur d'amusement dans son regard, et il dit :

1385 « Je veux bien t'apprendre à lire et à écrire, si c'est ça que tu veux. » Sa voix était comme ses yeux, très calme et lointaine, comme s'il avait peur de faire trop de bruit en parlant.

« Tu ne sais vraiment rien du tout ? »

« Non monsieur », dit Mondo.

1390 L'homme avait pris dans son sac de plage un vieux canif à manche rouge et il avait commencé à graver les signes des lettres sur des galets bien plats. En même temps, il parlait à Mondo de tout ce qu'il y a dans les lettres, de tout ce qu'on peut y voir quand on les regarde et quand on les écoute. Il parlait de A 1395 qui est comme une grande mouche avec ses ailes repliées en arrière ; de B qui est drôle, avec ses deux ventres, de C et D qui sont comme la lune, en croissant et à moitié pleine, et O qui est la lune tout entière dans le ciel noir. Le H est haut, c'est une échelle pour monter aux arbres et sur le toit des maisons ; E et F,

---

1. **Busqué** : arqué.

1400 qui ressemblent à un râteau et à une pelle, et G, un gros homme assis dans un fauteuil ; I danse sur la pointe de ses pieds, avec sa petite tête qui se détache à chaque bond, pendant que J se balance ; mais K est cassé comme un vieillard, R marche à grandes enjambées comme un soldat, et Y est debout, les bras en l'air et

1405 crie : au secours ! L est un arbre au bord de la rivière, M est une montagne ; N est pour les noms, et les gens saluent de la main, P dort sur une patte et Q est assis sur sa queue ; S, c'est toujours un serpent, Z toujours un éclair ; T est beau, c'est comme le mât d'un bateau, U est comme un vase. V, W, ce sont des oiseaux, des

1410 vols d'oiseaux ; X est une croix pour se souvenir.

Avec la pointe de son canif, le vieil homme traçait les signes sur les galets et les disposait devant Mondo.

« Quel est ton nom ? »

« Mondo », disait Mondo.

1415 Le vieil homme choisissait quelques galets, en ajoutait un autre.

« Regarde. C'est ton nom écrit, là. »

« C'est beau ! » disait Mondo. « Il y a une montagne, la lune, quelqu'un qui salue le croissant de lune, et encore la lune. Pour-

1420 quoi y a-t-il toutes ces lunes ? »

« C'est dans ton nom, c'est tout », disait le vieil homme. « C'est comme ça que tu t'appelles. »

Il reprenait les galets.

« Et vous, monsieur ? Qu'est-ce qu'il y a dans votre nom ? »

1425 Le vieil homme montrait les galets, l'un après l'autre, et Mondo les ramassait et les alignait devant lui.

« Il y a une montagne. »

« Oui, celle où je suis né. »

« Il y a une mouche. »

1430 « J'étais peut-être une mouche, il y a longtemps, avant d'être un homme. »

« Il y a un homme qui marche, un soldat. »

« J'ai été soldat. »

« Il y a le croissant de la lune. »

1435 « C'est elle qui était là à ma naissance. »

« Un râteau ! »

« Le voilà ! »

Le vieil homme montrait le râteau posé sur la plage.

« Il y a un arbre devant une rivière. »

1440 « Oui, c'est peut-être comme cela que je reviendrai quand je serai mort, un arbre immobile devant une belle rivière. »

« C'est bien de savoir lire », disait Mondo. « Je voudrais bien savoir toutes les lettres. »

« Tu vas écrire, toi aussi », disait le vieil homme. Il lui donnait

1445 son canif et Mondo restait longtemps à graver les dessins des lettres sur les galets de la plage. Puis il les mettait à côté, pour voir quels noms cela faisait. Il y avait toujours beaucoup de O et de I parce que c'était eux qu'il préférait. Il aimait aussi les T, les Z, et les oiseaux V W. Le vieil homme lisait :

1450 OVO OWO OTTO IZTI

et ça les faisait bien rire tous les deux.

Le vieil homme savait aussi beaucoup d'autres choses un peu étranges, qu'il racontait de sa voix douce, en regardant la mer. Il parlait d'un pays étranger, très loin de l'autre côté de la mer, un

1455 pays très grand où les gens étaient beaux et doux, où il n'y avait pas de guerres, et où personne n'avait peur de mourir. Dans ce pays il y avait un fleuve aussi large que la mer, et les gens allaient s'y baigner chaque soir, au coucher du soleil. Tandis qu'il parlait de ce pays-là, le vieil homme avait une voix encore plus douce

1460 et lente, et ses yeux pâles regardaient encore plus loin, comme s'il était déjà là-bas, au bord de ce fleuve.

« Est-ce que je pourrai venir avec vous ? » demandait Mondo.

Le vieil homme avait posé sa main sur l'épaule de Mondo.

« Oui, je t'emmènerai. »

1465 « Quand est-ce que vous partirez ? »

«Je ne sais pas. Quand j'aurai assez d'argent. Dans un an, peut-être. Mais je t'emmènerai avec moi.»

Plus tard, le vieil homme reprenait son râteau et il continuait son travail un peu plus loin sur la plage. Mondo mettait dans sa poche les cailloux de son nom, il faisait un signe de la main à son ami et il partait.

Maintenant il y avait beaucoup de signes, partout, écrits sur les murs, sur les portes, ou sur les panneaux de fer. Mondo les voyait en marchant dans les rues de la ville, et il en reconnaissait quelques-uns au passage. Sur le ciment du trottoir, il y avait des lettres gravées, comme ceci :

D

E

NADINE

E

mais ce n'était pas facile à comprendre.

Quand la nuit tombait, Mondo retournait à la Maison de la Lumière d'Or. Il mangeait le riz et les légumes dans la grande salle, avec Thi Chin, puis il sortait dans le jardin. Il attendait que la petite femme vienne le rejoindre, et ils marchaient ensemble très lentement sur le sentier de gravier, jusqu'à ce qu'ils soient complètement entourés par les arbres et les buissons. Thi Chin prenait la main de Mondo et la serrait si fort qu'il avait mal. Mais c'était bien quand même, de marcher comme cela dans la nuit sans lumières, en tâtant du bout du pied pour ne pas tomber, guidés seulement par le bruit du gravier qui crissait sous les semelles. Mondo écoutait le chant strident du criquet caché, il sentait les odeurs des arbustes qui écartaient leurs feuilles dans la nuit. Ça faisait un peu tourner la tête, et c'était pour ça que la petite femme serrait très fort sa main, pour ne pas avoir le vertige.

«La nuit, tout sent bon», disait Mondo.

« C'est parce qu'on ne voit pas », disait Thi Chin. « On sent mieux, et on entend mieux quand on ne voit pas. »

Elle s'arrêtait sur le chemin.

« Regarde, on va voir les étoiles, maintenant. »

Le cri aigu du criquet résonnait tout près d'eux, comme s'il sortait du ciel même. Les étoiles apparaissaient, l'une après l'autre, elles palpitaient faiblement dans l'humidité de la nuit. Mondo les regardait, la tête renversée, en retenant son souffle.

« Elles sont belles, est-ce qu'elles disent quelque chose, Thi Chin ? »

« Oui, elles disent beaucoup de choses, mais on ne comprend pas ce qu'elles disent. »

« Même si on savait lire, on ne pourrait pas comprendre ? »

« Non, on ne pourrait pas, Mondo. Les hommes ne peuvent pas comprendre ce que disent les étoiles. »

« Peut-être qu'elles racontent ce qu'il y aura plus tard, dans très longtemps. »

« Oui, ou bien peut-être qu'elles se racontent des histoires. »

Thi Chin aussi les regardait sans bouger, en serrant très fort la main de Mondo.

« Peut-être qu'elles disent la route qu'il faut suivre, les pays où il faut aller. »

Mondo réfléchissait.

« Elles brillent fort maintenant. Peut-être qu'elles sont des âmes. »

Thi Chin voulait voir le visage de Mondo, mais tout était noir. Alors, tout d'un coup, elle se mettait à trembler, comme si elle avait peur. Elle serrait la main de Mondo contre sa poitrine, et elle appuyait sa joue contre son épaule. Sa voix était toute bizarre et triste, comme si quelque chose lui faisait mal.

« Mondo, Mondo… »

Elle répétait son nom avec sa voix étouffée et son corps tremblait.

« Qu'est-ce que vous avez ? » demandait Mondo. Il essayait de la calmer en lui parlant. «Je suis là, je ne vais pas partir, je ne veux pas m'en aller.»

1530   Il ne voyait pas le visage de Thi Chin, mais il devinait qu'elle pleurait, et c'était pour cela que son corps tremblait. Thi Chin s'écartait un peu, pour que Mondo ne sente pas couler ses larmes.

«Excuse-moi, je suis bête», disait-elle; mais sa voix n'arrivait
1535   pas à parler.

«Ne soyez pas triste», disait Mondo. Il l'entraînait à l'autre bout du jardin. «Venez, nous allons voir les lumières de la ville dans le ciel.»

Ils allaient jusqu'à l'endroit où on pouvait voir la grande lueur
1540   rose en forme de champignon, au-dessus des arbres. Il y avait même un avion qui passait en clignotant, et ça les faisait rire.

Puis ils s'asseyaient sur le chemin de gravier, sans se lâcher la main. La petite femme avait oublié sa tristesse, et elle parlait à nouveau, à voix basse, sans penser à ce qu'elle disait. Mondo par-
1545   lait aussi, et le criquet faisait son bruit strident, dans sa cachette au milieu des feuilles. Mondo et Thi Chin restaient assis comme cela très longtemps, jusqu'à ce que leurs paupières deviennent lourdes. Alors ils s'endormaient par terre, et le jardin bougeait lentement, lentement, comme le pont d'un bateau.

1550 La dernière fois, c'était au commencement de l'été. Mondo était parti au lever du soleil, sans faire de bruit. Il avait descendu le chemin d'escaliers à travers la colline, sans se presser. Les arbres et les herbes étaient couverts de rosée, et il y avait une sorte de brume au-dessus de la mer. Dans les larges feuilles de volubilis[1] le

1555 long des vieux murs, une goutte d'eau était accrochée et brillait comme un diamant. Mondo approchait sa bouche, renversait la feuille et buvait la goutte d'eau fraîche. C'étaient de toutes petites gouttes, mais elles se répandaient dans sa bouche et dans son corps et calmaient bien sa soif. De chaque côté du chemin, les

1560 murs de pierre sèche étaient déjà tièdes. Les salamandres étaient sorties de leurs fissures pour regarder la lumière du jour.

Mondo descendait la colline jusqu'à la mer, et il allait s'asseoir à sa place sur la plage déserte. Il n'y avait personne d'autre que les mouettes à cette heure-là. Elles flottaient sur l'eau le long du

1565 rivage, ou bien elles marchaient en se dandinant sur les galets. Elles entrouvraient leur bec pour gémir. Elles s'envolaient, tournaient en rond, se reposaient un peu plus loin. Les mouettes avaient toujours de drôles de voix le matin, comme si elles s'appelaient avant de partir.

1570 Quand le soleil était un peu haut dans le ciel rose, les réverbères s'éteignaient et on entendait la ville qui commençait à gronder. C'était un bruit lointain, qui sortait des rues entre les hauts immeubles, un bruit sourd qui vibrait à travers les galets de la plage. Les vélomoteurs couraient dans les avenues en faisant

---

1. Volubilis : plante à grosses fleurs colorées.

1575   leur bruit de bourdon, emportant des hommes et des femmes habillés d'anoraks et la tête cachée dans des cagoules de laine.

    Mondo restait immobile sur la plage, en attendant que le soleil réchauffe l'air. Il écoutait le bruit des vagues sur les galets. Il aimait cette heure-là, parce qu'il n'y avait personne près de la
1580   mer, rien que lui et les mouettes. Alors il pouvait penser à tous les gens de la ville, à tous ceux qu'il allait rencontrer. Il pensait à eux en regardant la mer et le ciel, et c'était comme si les gens étaient à la fois très loin et très proches, assis, autour de lui. C'était comme s'il suffisait de les regarder pour qu'ils existent, et puis
1585   de détourner le regard et ils n'étaient plus là.

    Sur la plage déserte, Mondo parlait aux gens. Il leur parlait à sa façon, sans paroles mais en envoyant des ondes ; elles allaient vers eux, là où ils étaient, en se mêlant au bruit des vagues et à la lumière, et les gens les recevaient sans savoir d'où elles venaient.
1590   Mondo pensait au Gitan, au Cosaque, au rempailleur de chaises, à Rosa, à la boulangère Ida, au champion des cerfs-volants ou bien au vieil homme qui lui avait appris à lire, et tous, ils l'entendaient. Ils entendaient comme un sifflement dans leurs oreilles, ou comme un bruit d'avion, et ils secouaient un peu
1595   leur tête parce qu'ils ne comprenaient pas ce que c'était. Mais Mondo était content de pouvoir leur parler comme cela, et leur envoyer les ondes de la mer, du soleil et du ciel.

    Ensuite Mondo marchait le long de la plage, jusqu'à la bâtisse en bois de la plage privée. Au pied du mur de soutènement[1], il
1600   cherchait les cailloux sur lesquels le vieil homme avait gravé les dessins des lettres. Ça faisait plusieurs jours que Mondo n'était pas revenu là, et le sel et la lumière avaient déjà à demi effacé les dessins. Avec un silex tranchant, Mondo retraçait les signes et il disposait les cailloux sur le bord du mur, pour écrire son
1605   nom, comme ceci

---

1. **Mur de soutènement** : mur de soutien.

```
        M
    O       O

      D — N
```

pour que le vieil homme voie son nom, quand il viendrait, et qu'il sache qu'il était venu.

Ce jour-là n'était pas comme les autres, parce que quelqu'un manquait dans la ville. Mondo cherchait le vieux mendiant aux colombes, et son cœur battait plus fort, parce qu'il savait déjà qu'il ne le trouverait pas. Il le cherchait partout, dans les rues et les ruelles, sur la place du marché, devant les églises. Mondo avait très envie de le voir. Mais pendant la nuit, la camionnette grise était passée, et les hommes en uniforme avaient emmené le vieux Dadi.

Mondo continuait à chercher Dadi partout, sans se reposer. Son cœur battait de plus en plus fort tandis qu'il courait d'une cachette à une autre. Il regardait dans tous les endroits où le vieux mendiant avait l'habitude d'aller, dans les coins des portes cochères, dans les escaliers, près des fontaines, dans les jardins publics, dans l'entrée des vieux immeubles. Parfois, il voyait sur le trottoir un morceau de journal, et il s'arrêtait pour regarder autour de lui, comme si le vieux Dadi allait revenir s'asseoir par terre.

À la fin, c'est le Cosaque qui avait prévenu Mondo. Mondo l'avait rencontré dans la rue, près du marché. Il avançait difficilement, en se tenant au mur, parce qu'il était complètement saoul. Les gens s'arrêtaient et le regardaient en riant. Il avait même perdu son petit accordéon noir, quelqu'un le lui avait volé pendant qu'il cuvait son vin. Quand Mondo lui avait demandé où étaient le vieux Dadi et ses colombes, il l'avait regardé un moment sans comprendre, les yeux vides. Puis il avait grogné seulement:

«Sais pas… Ils l'ont emmené, cette nuit… »

«Où est-ce qu'on l'a emmené? »

1635 « Sais pas… À l'hôpital. »

Le Cosaque faisait de grands efforts pour repartir.

« Attendez ! Et les colombes ? Est-ce qu'ils les ont emmenées aussi ? »

« Les colombes ? »

1640 Le Cosaque ne comprenait pas.

« Les oiseaux blancs ! »

« Ah oui, je ne sais pas… » Le Cosaque haussait les épaules. « Sais pas ce qu'ils en ont fait, de ses pigeons… Peut-être qu'ils vont les manger… »

1645 Et il continuait à avancer en titubant le long du mur.

Alors tout à coup Mondo avait senti une grande fatigue. Il voulait retourner s'asseoir au bord de la mer, sur la plage, pour dormir. Mais c'était trop loin, il n'avait plus de forces. Peut-être que ça faisait trop longtemps qu'il ne mangeait pas bien, ou bien 1650 c'était la peur. Il avait l'impression que tous les bruits résonnaient dans sa tête et que la terre bougeait sous ses pieds.

Mondo avait cherché une place dans la rue, sur le trottoir, et il s'était assis là, le dos contre le mur. Maintenant il attendait. Un peu plus loin, il y avait le magasin d'un marchand de meubles, 1655 avec une grande vitrine qui réverbérait la lumière. Mondo restait assis sans bouger, il ne voyait même pas les jambes des gens qui marchaient devant lui, qui s'arrêtaient parfois. Il n'écoutait pas les voix qui parlaient. Il sentait une sorte d'engourdissement qui gagnait tout son corps, qui montait comme un froid, qui rendait 1660 ses lèvres insensibles et empêchait ses yeux de bouger.

Son cœur ne battait plus très fort ; maintenant il était loin et tout faible, il remuait lentement dans sa poitrine, comme s'il était sur le point de s'arrêter.

Mondo pensait à toutes ses bonnes cachettes, toutes celles qu'il 1665 connaissait, au bord de la mer, dans les rochers blancs, entre les brise-lames, ou bien dans le jardin de la Maison de la Lumière d'Or. Il pensait aussi au bateau *Oxyton* qui faisait des mouvements pour se détacher du quai, parce qu'il voulait aller jusqu'à la mer

Rouge. Mais en même temps, c'était comme s'il ne pouvait plus
quitter cet endroit, sur le trottoir, contre ce morceau de mur,
comme si ses jambes ne pouvaient plus marcher davantage.

Quand les gens lui avaient parlé, Mondo n'avait pas levé la tête.
Il restait immobile sur le trottoir, le front appuyé sur ses avant-
bras. Maintenant les jambes des gens étaient arrêtées devant lui,
elles formaient un rempart en demi-cercle comme lorsque le
Gitan donnait sa représentation publique. Mondo pensait qu'elles
feraient mieux de s'en aller, de continuer leur chemin. Il regardait tous ces pieds arrêtés, les grosses chaussures de cuir noir des
hommes, les sandales à hauts talons des femmes. Il entendait
les voix qui parlaient au-dessus de lui, mais il ne parvenait pas à
comprendre ce qu'elles disaient.

« … Téléphoner… », disaient les voix. Téléphoner à qui ? Mondo
pensait qu'il était devenu un chien, un vieux chien au poil fauve
qui dormait couché en rond sur un coin du trottoir. Personne
ne pouvait le voir, personne ne pouvait faire attention à un vieux
chien jaune. Le froid continuait à monter le long de son corps,
lentement, dans ses membres, dans son ventre, jusqu'à sa tête.

Alors la camionnette grise du Ciapacan était venue. Mondo
l'avait entendue arriver, dans son demi-sommeil, il avait entendu
les freins grincer et les portières qui s'ouvraient. Mais ça lui était
bien égal. Les jambes des gens avaient reculé un peu, et Mondo
avait vu les pantalons bleu marine et les chaussures noires aux
semelles épaisses qui s'approchaient de lui.

« Tu es malade ? »

Mondo entendait les voix des hommes en uniforme. Elles
résonnaient comme à des milliers de kilomètres.

« Comment tu t'appelles ? Où est-ce que tu habites ? »

« Tu vas venir avec nous, tu veux ? »

Mondo pensait aux collines qui brûlaient, partout, autour de
la ville. C'était comme s'il était assis au bord de la route, et qu'il
voyait les champs de braise, les grandes flammes rouges, et qu'il
sentait l'odeur de la résine et de la fumée blanche qui montait dans

le ciel ; il voyait même les camions rouges des pompiers arrêtés dans les broussailles et les longs tuyaux qui se déroulaient.

1705 « Tu peux marcher ? »

Les mains des hommes soulevaient Mondo sous les épaules, comme un fardeau léger, et le portaient vers la camionnette aux portes arrière ouvertes. Mondo sentait ses jambes cogner contre le sol, contre les échelons du marchepied, mais c'était 1710 comme si elles étaient étrangères, des jambes de pantin faites de bois et de vis. Puis les portières se refermaient en claquant, et la camionnette commençait à rouler à travers la ville. C'était la dernière fois.

Deux jours plus tard, la petite femme vietnamienne était entrée 1715 dans le bureau du commissaire de police. Elle était pâle et ses yeux étaient fatigués, parce qu'elle n'avait pas dormi. Elle avait attendu Mondo, pendant deux nuits, et le jour elle l'avait cherché partout dans la ville. Le commissaire la regardait sans curiosité.

« Vous êtes une parente ? »

1720 « Non, non », disait Thi Chin. Elle cherchait ses mots. « Je suis une — une amie. »

Elle paraissait encore plus petite, presque une enfant malgré les rides de son visage.

« Est-ce que vous savez où il est ? »

1725 Le commissaire la regardait, sans se presser de répondre.

« Il est à l'Assistance publique », disait-il enfin.

La petite femme répétait, comme si elle ne comprenait pas :
« À l'Assistance publique… »

Puis elle criait presque :

1730 « Mais ce n'est pas possible ! »

« Qu'est-ce qui n'est pas possible ? » demandait le commissaire.

« Mais pourquoi ? Qu'est-ce qu'il a fait ? »

« Il nous a dit qu'il n'avait pas de famille, alors on l'a 1735 dirigé là. »

« C'est impossible ! » répétait Thi Chin. « Vous ne vous rendez pas compte… »

Le commissaire la regardait durement.

« C'est vous qui ne vous rendez pas compte, madame », disait-il ; « un enfant sans famille, sans domicile, qui traînait dans les rues avec les clochards, les mendiants, peut-être pire encore ! Qui vivait comme un sauvage, en mangeant n'importe quoi, en dormant n'importe où ! D'ailleurs on nous avait déjà signalé son cas, des gens s'étaient plaints, et ça faisait quelque temps qu'on le cherchait, mais il était malin, il se cachait ! Il était temps que tout ça finisse. »

La petite femme regardait fixement devant elle, et son corps tremblait. Le commissaire se radoucissait un peu.

« Vous — vous vous êtes occupée de lui, madame ? »

Thi Chin faisait oui de la tête.

« Écoutez, si vous voulez vous charger de cet enfant. Si vous voulez qu'on vous en donne la garde, c'est sûrement une chose possible. »

« Il faut qu'il sorte de — »

« Mais pour l'instant, il doit rester à l'Assistance jusqu'à ce que, jusqu'à ce que son état se soit amélioré. Si vous voulez vous charger de lui, il faudra déposer une demande, établir un dossier, et ce n'est pas du jour au lendemain. »

Thi Chin cherchait ses mots dans sa tête, sans pouvoir parler.

« Pour l'instant, il faut laisser faire l'administration. Cet enfant — comment s'appelle-t-il déjà ? »

« Mondo », disait Thi Chin. « Je — »

« Cet enfant est en observation. Il doit être soigné. On va s'occuper de lui à l'Assistance, on va établir son dossier. Vous savez qu'à son âge il ne sait pas lire ni écrire, qu'il n'a jamais été dans une école ? »

Thi Chin essayait de parler, mais sa voix s'étouffait.

« Est-ce que je peux le voir ? » demandait-elle enfin.

« Oui, bien sûr. » Le commissaire se levait. « Dans quelques

1770 jours, quand il sera dans de bonnes conditions, vous irez le voir, vous demanderez l'autorisation au directeur. »

« Mais aujourd'hui ! » disait Thi Chin. Elle criait à nouveau, et sa voix s'enrouait. « C'est aujourd'hui, c'est aujourd'hui qu'il faut que je le voie ! »

1775 « Non, c'est tout à fait impossible. Vous ne pouvez pas le voir avant quatre ou cinq jours. »

« Je vous en prie ! C'est très important pour lui, maintenant ! »

Le commissaire raccompagnait Thi Chin vers la porte.

« Pas avant quatre ou cinq jours. »

1780 Au moment d'ouvrir la porte, il se ravisait.

« Donnez-moi votre nom et votre adresse, pour qu'on puisse vous joindre. »

Il notait cela sur un vieux carnet.

« Bon. Téléphonez-moi dans deux jours pour qu'on commence
1785 le dossier. » Mais le lendemain, le commissaire était venu à la maison de Thi Chin. Il avait ouvert le portail et il avait marché sur l'allée de gravier jusqu'à la porte.

Quand Thi Chin avait ouvert, il était entré, presque de force, et il avait regardé à l'intérieur de la grande salle.

1790 « Votre Mondo », commençait-il.

« Que lui est-il arrivé ? » demandait Thi Chin. Elle était encore plus pâle que l'autre jour, et ses yeux étaient levés vers le visage du policier avec crainte.

« Il est parti. »

1795 « Parti ? »

« Oui, parti, disparu. Évaporé ! »

Par-dessus la tête de Thi Chin, le policier scrutait l'intérieur de la maison.

« Vous ne l'avez pas vu ? Il n'est pas venu ici ? »

1800 « Non ! » criait Thi Chin.

« Il a mis le feu à son matelas, dans l'infirmerie, et il a profité de l'affolement pour filer. Je pensais que vous l'aviez peut-être vu passer ? »

«Non! Non!» criait encore Thi Chin. Maintenant ses yeux étroits
1805 brillaient de colère. Le commissaire reculait devant elle.

«Écoutez, je suis venu tout de suite vous avertir. Il faut retrouver
ce garçon avant qu'il ne fasse d'autres bêtises. »

Le commissaire redescendait les marches du perron en demi-
lune.

1810 «S'il revient chez vous, prévenez-moi! »

Il s'en allait déjà sur le chemin de gravier, vers le portail.

«Je vous ai dit l'autre jour. C'est un sauvage! »

Thi Chin ne bougeait pas, sur le seuil. Ses yeux s'emplissaient
de larmes et sa gorge était si serrée qu'elle n'arrivait plus à
1815 respirer.

«Vous n'avez rien compris, rien! » Elle parlait à voix basse,
pour elle-même, tandis que le commissaire de police repoussait
le portail et descendait à grands pas le chemin d'escaliers vers
sa voiture noire.

1820 Alors Thi Chin s'asseyait sur les marches blanches, et elle restait
immobile longtemps, sans regarder la lumière d'or qui était en
train d'emplir la grande salle vide, sans écouter le bruit strident
du criquet caché. Elle pleurait un peu, sans même s'en apercevoir,
et les larmes coulaient goutte à goutte au bout de son nez et tom-
1825 baient sur son tablier bleu. Elle savait que l'enfant aux cheveux
couleur de cendres ne reviendrait pas, ni demain ni les autres jours.
L'été allait commencer maintenant, et pourtant c'était comme
s'il faisait froid. Tous, ici, dans notre ville, nous avons senti cela.
Les gens continuaient d'aller et venir, de vendre et d'acheter,
1830 les autos continuaient à rouler dans les rues et les avenues, en
faisant beaucoup de bruit avec leur moteur et leur klaxon. De
temps en temps, dans le ciel bleu, un avion passait en laissant
derrière lui un long sillage blanc. Les mendiants continuaient
à mendier, dans les coins de murs, à la porte de la mairie et des
1835 églises. Mais ce n'était plus pareil. C'était comme s'il y avait un
nuage invisible qui recouvrait la terre, qui empêchait la lumière
d'arriver tout entière.

Les choses n'étaient plus les mêmes. D'ailleurs, quelque temps plus tard, le Gitan s'était fait arrêter par la police, un jour où on s'était aperçu qu'il prestidigitait aussi dans les poches des passants. Le Cosaque était un ivrogne, qui n'était pas même cosaque, puisqu'il était né en Auvergne. Giordan le Pêcheur cassait ses lignes sur les brise-lames, et il n'irait jamais en Érythrée, ni ailleurs. Le vieux Dadi était enfin sorti de l'hôpital, mais il n'avait jamais retrouvé ses colombes, et à leur place il avait acheté un chat. Le peintre du dimanche n'avait pas réussi à peindre le ciel, et il avait recommencé à dessiner des marines et des natures mortes, et le petit garçon du jardin public s'était fait voler son beau tricycle rouge. Quant au vieil homme au visage d'Indien, il avait continué à ratisser son morceau de plage, sans partir pour les rives du Gange[1]. Au bout de sa longe[2], attaché à l'anneau rouillé du quai, le bateau *Oxyton* était resté tout seul à se dandiner sur l'eau du port, au milieu des nappes de gasoil, sans personne qui vînt s'asseoir à sa poupe pour lui chanter une chanson.

Les années, les mois et les jours passaient, maintenant sans Mondo, car c'était un temps à la fois très long et trop court, et beaucoup de gens, ici, dans notre ville, attendaient quelqu'un sans oser le dire. Sans s'en rendre compte, souvent, nous l'avons cherché dans la foule, au coin des rues, devant une porte. Nous avons regardé les galets blancs de la plage, et la mer qui ressemble à un mur. Puis nous avons un peu oublié.

Un jour, longtemps après, la petite femme vietnamienne marchait dans son jardin, en haut de la colline. Elle s'asseyait sous le massif de laurier-sauce où il y avait beaucoup de moustiques tigrés qui dansaient dans l'air, et elle avait ramassé un drôle de caillou poli par l'eau de mer. Sur le côté du galet, elle avait vu des signes gravés, à demi effacés par la poussière. Avec précaution,

---

1. Gange : fleuve sacré en Inde.
2. Longe : longue courroie.

et le cœur battant un peu plus vite, elle avait essuyé la poussière avec un coin de son tablier et elle avait vu deux mots écrits en lettres capitales maladroites :

TOUJOURS   BEAUCOUP

Un quiz pour commencer

Cochez les bonnes réponses.

❶ *Où se déroule l'action de la nouvelle ?*
- ❏ Dans une ville du Sud de la France.
- ❏ Dans un port en Bretagne.
- ❏ Sur une île exotique.

❷ *Lors de sa première apparition, comment est présenté Mondo ?*
- ❏ Comme un garçon triste.
- ❏ Comme un garçon mystérieux.
- ❏ Comme un garçon inquiétant.

❸ *Que demande Mondo aux gens qu'il rencontre quand il les aime bien ?*
- ❏ Il leur demande de lui donner à manger.
- ❏ Il leur demande de lui raconter une histoire.
- ❏ Il leur demande de l'adopter.

❹ *Qui lit les dialogues de Kit Carson ?*
- ❏ Mondo.
- ❏ Un retraité.
- ❏ Ida, une amie de Mondo.

❺ *Qu'est-ce que Dadi conserve dans sa valise ?*
- ❏ Tous ses habits.
- ❏ Deux colombes.
- ❏ Les photos auxquelles il tient.

❻ *Pourquoi Mondo appelle-t-il la maison de la colline « La Maison de la Lumière d'Or » ?*
- ❏ À cause de la lumière qui enveloppe la maison à la fin de l'après-midi.
- ❏ À cause du nom inscrit sur le portail de la maison.
- ❏ À cause de la couleur jaune des murs de la maison.

❼ *Quelle liste regroupe des personnes et une chose que Mondo aime bien ?*
- ❏ Un policier, un facteur, une maison.
- ❏ Une boulangère, un facteur, une barque.
- ❏ Une chanteuse, un clown, un rocher.

❽ *Comment s'appelle le vieil homme qui apprend à lire à Mondo ?*
- ❏ Giordan.
- ❏ Pipo.
- ❏ Marcel.

❾ *D'où Mondo s'enfuit-il à la fin de la nouvelle ?*
- ❏ De la Maison de la Lumière d'Or.
- ❏ Du commissariat.
- ❏ De l'Assistance publique.

Des questions pour aller plus loin

☞ Découvrir les aventures d'un héros-enfant

Mondo et son histoire

❶ Après avoir relu attentivement la première partie de la nouvelle (p. 13-24), reproduisez et complétez ce tableau pour dresser un portrait de Mondo.

Nom	
Informations sur son passé	
Détails physiques	
Occupations	
Goûts	
Dégoûts et peurs	
Signes particuliers	

❷ Qu'évoque pour vous le prénom de Mondo? Selon l'alphabet imagé du vieil homme, il évoque «une montagne, la lune, quelqu'un qui salue le croissant de lune, et encore la lune» (p. 58): cela vous semble-t-il convenir au caractère et aux goûts de l'enfant?

❸ Relevez les indications qui permettent de situer le récit dans le temps. Sait-on combien de temps dure exactement l'histoire de Mondo?

❹ Quel est le temps le plus fréquemment employé dans l'ensemble de la nouvelle? Quel est l'effet produit?

❺ Qu'est-ce qui a changé dans la situation de Mondo entre le début et la fin de la nouvelle? Vous vous demanderez en particulier comment il apparaît, d'où il vient, ce qu'il veut, comment il disparaît et où.

Rencontres et amitiés

6 Faites la liste des amis de Mondo. Pour chacun d'eux, précisez son apparence physique, son activité et le lieu où Mondo l'a rencontré.

7 Quels sont les points communs des différents amis de Mondo (âge, statut social, origine) ?

8 Parmi les amis de Mondo, quels sont les deux personnages qui vous semblent les plus importants ? Pourquoi ?

9 De quels autres personnages Mondo s'approche-t-il ? Quels types de personnes évite-t-il ?

10 Que laisse Mondo à Thi Chin à la fin de la nouvelle ? Que veut-il lui dire ?

Enfance et imagination

11 Mondo a-t-il toujours besoin de parler pour communiquer avec ses amis ? Relisez les pages 54-55 et précisez quelle qualité il partage avec Pipo, l'autre enfant de la nouvelle.

12 Quelle est la particularité des questions de Mondo (p. 13 et p. 55) ? Comment ces questions agissent-elles sur les gens à qui il les pose ?

13 Quel objet figure au nombre des amis de Mondo ? Page 52, relevez les termes qui permettent l'identification de cet objet à un être humain.

14 En quoi Mondo transforme-t-il les gros blocs de ciment des brisants (p. 19-20) ? Quels autres objets sont aussi dotés d'une vie nouvelle ?

15 Quels personnages du texte font penser à un aigle, un chat, un chien, un éléphant et un ours ? Pourquoi ?

16 Qu'est-il arrivé aux amis de Mondo après son départ ? Qu'ont-ils perdu en perdant Mondo ?

> *Rappelez-vous !*
> Dans les nouvelles de Le Clézio, l'enfant a un rôle central. Son imagination créatrice lui permet de voir le monde autrement que la plupart des adultes qu'il rencontre et de retrouver un lien privilégié avec la nature.

De la lecture à l'écriture

Des mots pour mieux écrire

❶ *Dans Mondo, les verbes suivants caractérisent différentes manières de se mouvoir. Choisissez-en cinq et employez chacun d'eux dans une phrase qui en éclairera le sens :* se faufiler, tressauter, se glisser, danser, dériver, s'enfuir, ramper, zigzaguer ou se dandiner.

❷ *Complétez chacune des phrases suivantes avec l'adjectif qui convient et accordez-le si nécessaire :* rauque, strident, aigu, doux, étouffé, bas.

a. « Là, une souris ! », cria ma voisine d'une voix _____.
b. Pour ne pas déranger ceux qui dorment, nous parlons à voix _____.
c. Pour endormir un bébé, on peut lui chanter une berceuse d'une voix

_____.
d. Le voisin est en train de s'enrhumer : il a une voix _____ très désagréable.
e. Souvent les jeunes garçons ont des voix _____ qu'ils perdent au moment de l'adolescence.
f. Les sauveteurs ont retrouvé l'alpiniste pris par l'avalanche grâce à ses appels, pourtant _____ par la neige qui le recouvrait.

À vous d'écrire

❶ Les policiers qui ont trouvé Mondo le conduisent au commissariat. Rédigez les questions du commissaire et les réponses de Mondo durant cet interrogatoire.
Consigne. Vous soignerez la présentation du dialogue et vous emploierez le vocabulaire étudié dans l'exercice ci-dessus.

❷ Quelque temps après avoir découvert les deux cailloux, Thi Chin reçoit enfin une lettre de Mondo. Rédigez-la en une quinzaine de lignes. *Consigne.* Dans cette lettre, Mondo raconte la suite de ses aventures et cherche aussi à consoler Thi Chin de son départ. N'oubliez pas de respecter les codes de la lettre (destinataire, date, lieu, formule d'adresse au destinataire, formule finale).

Du texte à l'image

➡ Paul Klee, *Artiges Kunststück*, aquarelle, 1920.
(Image reproduite en début d'ouvrage, au verso de la couverture.)

👁 Lire l'image

❶ Observez attentivement ce tableau. Indiquez les principaux éléments de la composition et l'espace que chacun d'eux occupe.
❷ Décrivez le personnage représenté et le décor dans lequel il se trouve. Quelle est la couleur dominante de ce décor ?
❸ Que fait apparaître le personnage au-dessus de lui ? Comment cette apparition merveilleuse se distingue-t-elle du décor ?

📄 Comparer le texte et l'image

❹ En quoi pouvez-vous rapprocher ce tableau de la nouvelle que vous venez de lire ? Vous rappelle-t-il un passage précis du texte ?
❺ Quel est le rapport de l'enfant aux lettres et aux choses qu'il fait apparaître ? Mondo entretient-il le même rapport aux lettres et aux objets ?

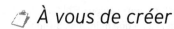 **À vous de créer**

6 Vous êtes spectateur du tour de magie représenté dans le tableau. Racontez ce que vous voyez, comment l'enfant réussit ses tours, ce qu'il fait apparaître et ce que vous ressentez.

7 L'enfant-magicien est interviewé par le journal local. Présentez cette interview en posant trois ou quatre questions sur cet enfant-magicien et son activité, et en imaginant les réponses qu'il pourrait y apporter.

Lullaby

1

Le jour où Lullaby[1] décida qu'elle n'irait plus à l'école, c'était encore très tôt le matin, vers le milieu du mois d'octobre. Elle quitta son lit, elle traversa pieds nus sa chambre et elle écarta un peu les lames des stores pour regarder dehors. Il y avait beaucoup de soleil, et en se penchant un peu, elle put voir un morceau de ciel bleu. En bas, sur le trottoir, trois ou quatre pigeons sautillaient, leurs plumes ébouriffées par le vent. Au-dessus des toits des voitures arrêtées, la mer était bleu sombre, et il y avait un voilier blanc qui avançait difficilement. Lullaby regarda tout cela, et elle se sentit soulagée d'avoir décidé de ne plus aller à l'école.

Elle retourna vers le centre de la chambre, elle s'assit devant sa table, et sans allumer la lumière elle commença à écrire une lettre.

> Bonjour cher Ppa.
> Il fait beau aujourd'hui, le ciel est
> comme j'aime très très bleu. Je voudrais
> bien que tu sois là pour voir le ciel. La mer
> aussi est très très bleue. Bientôt ce sera
> l'hiver. C'est une autre année très longue
> qui commence. J'espère que tu pourras

---

1. En anglais, *lullaby* signifie « berceuse ».

venir bientôt parce que je ne sais pas
si le ciel et la mer vont pouvoir t'attendre
longtemps. Ce matin quand je me suis
réveillée (ça fait maintenant plus d'une heure)
25 j'ai cru que j'étais à nouveau à Istamboul[1].
Je voudrais bien fermer les yeux et quand je
les rouvrirais ce serait à nouveau comme à
Istamboul. Tu te souviens ? Tu avais acheté
deux bouquets de fleurs, un pour moi et un
30 pour sœur Laurence. De grandes fleurs
blanches qui sentaient fort (c'est pour ça
qu'on les appelle des arômes ?). Elles sentaient
si fort qu'on avait dû les mettre dans la
salle de bains. Tu avais dit qu'on pouvait boire
35 de l'eau dedans, et moi j'étais allée
à la salle de bains et j'avais bu longtemps,
et mes fleurs s'étaient toutes abîmées. Tu
te souviens ?

Lullaby s'arrêta d'écrire. Elle mordilla un instant le bout de
40 son Bic bleu, en regardant la feuille de papier à lettres. Mais elle
ne lisait pas. Elle regardait seulement le blanc du papier, et elle
pensait que peut-être quelque chose allait apparaître, comme
des oiseaux dans le ciel, ou comme un petit bateau blanc qui
passerait lentement.

45 Elle regarda le réveil sur la table : huit heures dix. C'était un
petit réveille-matin de voyage, gainé[2] de peau de lézard noir
qu'on n'avait besoin de remonter que tous les huit jours.

Lullaby écrivit sur la feuille de papier à lettres.

---

1. **Istamboul** (Istanbul) : grande ville de Turquie.
2. **Gainé** : recouvert.

Cher Ppa, je voudrais bien que tu
viennes reprendre le réveille-matin. Tu me
l'avais donné avant que je parte de Téhéran[1]
et maman et sœur Laurence avaient dit qu'il
était très beau. Moi aussi je le trouve
très beau, mais je crois que maintenant il ne
me servira plus. C'est pourquoi je voudrais
que tu viennes le prendre. Il te servira
à nouveau. Il marche très bien. Il ne fait
pas de bruit la nuit.

Elle mit la lettre dans une enveloppe par avion. Avant de fermer l'enveloppe, elle chercha quelque chose d'autre à glisser dedans. Mais sur la table il n'y avait rien que des papiers, des livres, et des miettes de biscotte. Alors elle écrivit l'adresse sur l'enveloppe.

Monsieur Paul Ferlande
P.R.O.C.O.M.
84, avenue Ferdowsi
Téhéran
Iran

Elle déposa l'enveloppe sur le bord de la table, et elle alla vite à la salle de bains pour se laver les dents et la figure. Elle avait envie de prendre une douche froide, mais elle avait peur que le bruit ne réveille sa mère. Toujours pieds nus, elle retourna à sa chambre. Elle s'habilla à la hâte, avec un pull-over de laine verte, un pantalon en velours brun, et un blouson marron. Puis elle enfila ses chaussettes et ses chaussures montantes à semelle de crêpe. Elle peigna ses cheveux blonds sans même se regarder dans la glace, et elle enfourna dans son sac tout ce qu'elle

---

1. Téhéran : capitale de l'Iran.

trouva autour d'elle, sur la table et sur la chaise : rouge à lèvres,
mouchoirs de papier, crayon à bille, clés, tube d'aspirine. Elle
80 ne savait pas exactement ce dont elle pourrait avoir besoin, et
elle jeta pêle-mêle ce qu'elle voyait dans sa chambre : un foulard
rouge roulé en boule, un vieux porte-photos en moleskine[1], un
canif, un petit chien en porcelaine. Dans l'armoire, elle ouvrit
un carton à chaussures et elle prit un paquet de lettres. Dans
85 un autre carton, elle trouva un grand dessin qu'elle plia et mit
dans son sac avec les lettres. Dans la poche de son imperméable,
elle trouva quelques billets de banque et une poignée de pièces
qu'elle fit tomber aussi dans son sac. Au moment de sortir, elle
retourna vers la table et elle prit la lettre qu'elle venait d'écrire.
90 Elle ouvrit le tiroir de gauche, et elle chercha parmi les objets
et les papiers, jusqu'à ce qu'elle trouve un petit harmonica sur
lequel il y avait écrit

ECHO   Super
             Vamper   MADE IN
                        GERMANY

et, gravé à la pointe d'un couteau

david

95 Elle regarda l'harmonica une seconde, puis elle le fit tomber
dans le sac, passa la bandoulière sur son épaule droite et sortit.
Dehors, le soleil était chaud, le ciel et la mer brillaient. Lullaby chercha des yeux les pigeons, mais ils avaient disparu. Au
loin, très près de l'horizon, le voilier blanc bougeait lentement,
100 penché sur la mer.
Lullaby sentit son cœur battre très fort. Il s'agitait et faisait du
bruit dans sa poitrine. Pourquoi était-il dans cet état-là ? Peut-être

---

1. **Moleskine** : matière imitant le cuir.

que c'était toute la lumière du ciel qui l'enivrait. Lullaby s'arrêta
contre la balustrade, en serrant très fort ses bras contre sa poitrine.
105 Elle dit même entre ses dents, un peu en colère :
« Mais il m'embête, celui-là ! »
Puis elle se remit en route, en essayant de ne plus faire attention à lui.

Les gens allaient travailler. Ils roulaient vite dans leurs autos,
110 le long de l'avenue, dans la direction du centre de la ville. Les
vélomoteurs faisaient la course avec des bruits de roulements à
billes. Dans les autos neuves aux vitres fermées, les gens avaient
l'air pressé. Quand ils passaient, ils se retournaient un peu pour
regarder Lullaby. Il y avait même des hommes qui appuyaient à
115 petits coups sur leur klaxon, mais Lullaby ne les regardait pas.

Elle aussi, elle marchait vite le long de l'avenue, sans faire de
bruit sur ses semelles de crêpe. Elle allait dans la direction opposée,
vers les collines et les rochers. Elle regardait la mer en plissant
les yeux parce qu'elle n'avait pas pensé à prendre ses lunettes
120 noires. Le voilier blanc semblait suivre la même route qu'elle,
avec sa grande voile isocèle gonflée dans le vent. En marchant,
Lullaby regardait la mer et le ciel bleus, la voile blanche, et les
rochers du cap, et elle était bien contente d'avoir décidé de ne
plus aller à l'école. Tout était si beau que c'était comme si l'école
125 n'avait jamais existé.

Le vent soufflait dans ses cheveux et les emmêlait, un vent
froid qui piquait ses yeux et rougissait la peau de ses joues et de
ses mains. Lullaby pensait que c'était bien de marcher comme
cela, au soleil et dans le vent, sans savoir où elle allait.

130 Quand elle sortit de la ville, elle arriva devant le chemin des
contrebandiers[1]. Le chemin commençait au milieu d'un bosquet[2] de pins parasols, et descendait le long de la côte, jusqu'aux

---

1. Chemin des contrebandiers : itinéraire qu'empruntaient auparavant les
trafiquants pour leur commerce illégal.
2. Bosquet : petit groupe d'arbres.

rochers. Ici, la mer était encore plus belle, intense, tout imprégnée de lumière.

135 Lullaby avançait sur le chemin des contrebandiers, et elle vit que la mer était plus forte. Les vagues courtes cognaient contre les rochers, lançaient une contre-lame[1], se creusaient, revenaient. La jeune fille s'arrêta dans les rochers pour écouter la mer. Elle connaissait bien son bruit, l'eau qui clapote et se déchire, puis

140 se réunit en faisant exploser l'air, elle aimait bien cela, mais aujourd'hui, c'était comme si elle l'entendait pour la première fois. Il n'y avait rien d'autre que les rochers blancs, la mer, le vent, le soleil. C'était comme d'être sur un bateau, loin au large, là où vivent les thons et les dauphins.

145 Lullaby ne pensait même plus à l'école. La mer est comme cela : elle efface ces choses de la terre parce qu'elle est ce qu'il y a de plus important au monde. Le bleu, la lumière étaient immenses, le vent, les bruits violents et doux des vagues, et la mer ressemblait à un grand animal en train de remuer sa tête

150 et de fouetter l'air avec sa queue.

Alors Lullaby était bien. Elle restait assise sur un rocher plat, au bord du chemin des contrebandiers, et elle regardait. Elle voyait l'horizon net, la ligne noire qui sépare la mer du ciel. Elle ne pensait plus du tout aux rues, aux maisons, aux voitures, aux

155 motocyclettes.

Elle resta assez longtemps sur son rocher. Puis elle reprit sa marche le long du chemin. Il n'y avait plus de maisons, les dernières villas étaient derrière elle. Lullaby se retourna pour les regarder, et elle trouva qu'elles avaient un drôle d'air, avec leurs volets

160 fermés sur leurs façades blanches, comme si elles dormaient. Ici il n'y avait plus de jardins. Entre la rocaille, des plantes grasses bizarres, des boules hérissées de piquants, des raquettes jaunes couvertes de cicatrices, des aloès[2], des ronces, des lianes. Personne

---

1. Contre-lame : vague en sens contraire au mouvement de l'eau.
2. Aloès : plantes grasses exotiques, ressemblant à des cactus.

ne vivait ici. Il y avait seulement les lézards qui couraient entre les
165 blocs de rocher, et deux ou trois guêpes qui volaient au-dessus
des herbes qui sentent le miel.

Le soleil brûlait avec force dans le ciel. Les rochers blancs
étincelaient, et l'écume éblouissait comme la neige. On était
heureux, ici, comme au bout du monde. On n'attendait plus
170 rien, on n'avait plus besoin de personne. Lullaby regarda le cap
qui grandissait devant elle, la falaise cassée à pic sur la mer. Le
chemin des contrebandiers arrivait jusqu'à un bunker allemand[1],
et il fallait descendre le long d'un boyau étroit, sous la terre. Dans
le tunnel, l'air froid fit frissonner la jeune fille. L'air était humide
175 et sombre comme à l'intérieur d'une grotte. Les murs de la forteresse sentaient le moisi et l'urine. De l'autre côté du tunnel, on
débouchait sur une plate-forme de ciment entourée d'un mur
bas. Un peu d'herbe poussait dans les fissures du sol.

Lullaby ferma les yeux, éblouie par la lumière. Elle était tout
180 à fait en face de la mer et du vent.

Tout à coup, sur le mur de la plate-forme, elle aperçut les premiers signes. C'était écrit à la craie, en grandes lettres irrégulières
qui disaient seulement:

« TROUVEZ-MOI »

185 Lullaby regarda un moment autour d'elle, puis elle dit, à mi-
voix:

« Oui, mais qui êtes-vous? »

Une grande sterne[2] blanche passa au-dessus de la plate-forme
en glapissant.

190 Lullaby haussa les épaules, et elle continua sa route. C'était
plus difficile à présent, parce que le chemin des contrebandiers
avait été détruit, peut-être pendant la dernière guerre, par ceux
qui avaient construit le bunker. Il fallait escalader et sauter d'un

---

1. Bunker allemand : abri en béton armé, vestige de la Seconde Guerre mondiale.
Les Allemands en ont construits le long des côtes pour répondre à un possible
débarquement.
2. Sterne : oiseau marin.

rocher à l'autre, en s'aidant des mains pour ne pas glisser. La côte
195   était de plus en plus escarpée, et tout en bas, Lullaby voyait l'eau
profonde, couleur d'émeraude, qui cognait contre les rocs.

Heureusement, elle savait bien marcher dans les rochers, c'était
même ce qu'elle savait le mieux. Il faut calculer très vite du regard,
voir les bons passages, les rochers qui font des escaliers ou des
200   tremplins, deviner les chemins qui vous conduisent vers le haut :
il faut éviter les culs-de-sac, les pierres friables, les crevasses, les
buissons d'épines.

C'était peut-être un travail pour la classe de mathématiques.
«Étant donné un rocher faisant un angle de 45° et un autre
205   rocher distant de 2,50 m d'une touffe de genêts, où passera la
tangente[1]?» Les rochers blancs ressemblaient à des pupitres, et
Lullaby imagina la figure sévère de Mlle Lorti trônant au-dessus
d'un grand rocher en forme de trapèze, le dos tourné à la mer.
Mais ce n'était peut-être pas vraiment un problème pour la classe
210   de mathématiques. Ici, il fallait avant tout calculer les centres
de gravité[2]. « Tracez une ligne perpendiculaire à l'horizontale
pour indiquer clairement la direction », disait M. Filippi. Il était
debout, en équilibre sur un rocher penché, et il souriait avec
indulgence. Ses cheveux blancs faisaient une couronne dans la
215   lumière du soleil, et derrière ses lunettes de myope, ses yeux
bleus brillaient bizarrement.

Lullaby était contente de découvrir que son corps trouvait
aussi facilement la solution des problèmes. Elle se penchait en
avant, en arrière, elle se balançait sur une jambe, puis elle sautait
220   avec souplesse, et ses pieds atterrissaient exactement au point
voulu.

« C'est très bien, très bien, mademoiselle », disait la voix de
M. Filippi dans son oreille. « La physique est une science de la

---

1. Tangente : droite ayant un point de contact avec une courbe.
2. Centre de gravité : point d'intersection des médianes d'un triangle.

nature, ne l'oubliez jamais. Continuez comme cela, vous êtes
225 sur la bonne voie. »

« Oui, mais pour aller où ? » murmurait Lullaby.

En effet, elle ne savait pas très bien où cela la conduisait. Pour reprendre son souffle, elle s'arrêta encore et elle regarda la mer, mais là aussi il y avait un problème, car il s'agissait de calculer
230 l'angle de réfraction de la lumière du soleil sur la surface de l'eau.

« Je n'y arriverai jamais », pensait-elle.

« Voyons, mettez en application les lois de Descartes[1] », disait la voix de M. Filippi dans son oreille.

235 Lullaby faisait un effort pour se souvenir.

« Le rayon réfracté… »

« … reste toujours dans le plan d'incidence », disait Lullaby.

Filippi :

« Bien. Deuxième loi ? »

240 « Quand l'angle d'incidence croît, l'angle de réfraction croît et le rapport des sinus de ces angles est constant. »

« Constant », disait la voix. « Donc ? »

$$\text{« } \frac{\text{Sin } i}{\text{Sin } r} = \text{Constante. »}$$

« Indice de l'eau/air ? »

245 « 1,33 »

« Loi de Foucault ? »

« L'indice d'un milieu par rapport à un autre est égal au rapport de la vitesse du premier milieu sur le second. »

« D'où ? »

250 « $N_{2/1} = v_1/v_2$ »

Mais les rayons du soleil jaillissaient sans cesse de la mer, et l'on passait si vite de l'état de réfraction à l'état de réflexion totale

---

1. Lois de Descartes : lois d'optique qui décrivent la réaction de la lumière qui est reflétée ou absorbée par un nouveau milieu.

que Lullaby n'arrivait pas à faire des calculs. Elle pensa qu'elle écrirait plus tard à M. Filippi, pour lui demander.

255 Il faisait bien chaud. La jeune fille chercha un endroit où elle pourrait se baigner. Elle trouva un peu plus loin une minuscule crique[1] où il y avait un embarcadère en ruine. Lullaby descendit jusqu'au bord de l'eau et elle enleva ses habits.

L'eau était très transparente, froide. Lullaby plongea sans hésiter,
260 et elle sentit l'eau qui serrait les pores de sa peau. Elle nagea un long moment sous l'eau, les yeux ouverts. Puis elle s'assit sur le ciment de l'embarcadère pour se sécher. Maintenant, le soleil était dans son axe vertical, et la lumière ne se réverbérait plus. Elle brillait très fort à l'intérieur des gouttelettes accrochées à la
265 peau de son ventre et sur les poils fins de ses cuisses.

L'eau glacée lui avait fait du bien. Elle avait lavé les idées dans sa tête, et la jeune fille ne pensait plus aux problèmes de tangentes ni aux indices absolus des corps. Elle avait envie d'écrire encore une lettre à son père. Elle chercha le bloc de papier par
270 avion dans son sac, et elle commença à écrire avec le crayon à bille, tout à fait au bas de la page d'abord. Ses mains mouillées laissaient des traces sur la feuille.

« LLBY
t'embrasse
275 viens vite me voir là où je suis ! »

Puis elle écrivit au beau milieu de la feuille :
« Peut-être que je fais un peu des bêtises.
Il ne faut pas m'en vouloir. J'avais vraiment
l'impression d'être dans une prison. Tu
280 ne peux pas savoir. Enfin, si, peut-être que
tu sais tout ça mais toi tu as le courage
de rester, pas moi. Imagine tous ces murs
partout, tellement de murs que tu ne pourrais
pas les compter, avec des fils de fer barbelés,

---

1. Crique : petite baie formant une sorte de port naturel.

285 des grillages, des barreaux aux fenêtres !
Imagine la cour avec tous ces arbres que
je déteste, des marronniers, des tilleuls,
des platanes. Les platanes surtout sont
affreux, ils perdent leur peau, on dirait
290 qu'ils sont malades ! »
Un peu plus haut, elle écrivit :
« Tu sais, il y a tellement de choses que
je voudrais. Il y a tellement, tellement, tellement
295 de choses que je voudrais, je ne sais pas si
je pourrais te les dire. Ce sont des choses qui
manquent beaucoup ici, les choses que j'aimais
bien voir autrefois. L'herbe verte, les fleurs,
et les oiseaux, les rivières. Si tu étais là, tu
300 pourrais m'en parler et je les verrais
apparaître autour de moi, mais au lycée il n'y
a personne qui sache parler de ces choses-là.
Les filles sont bêtes à pleurer ! Les garçons
sont niais ! Ils n'aiment que leurs motos et
305 leurs blousons ! »
Elle remonta tout à fait en haut de la page.
« Bonjour, cher Ppa. Je t'écris sur une
toute petite plage, elle est vraiment si petite
que je crois que c'est une plage à une place,
310 avec un embarcadère démoli sur lequel je
suis assise (je viens de prendre un bon bain).
La mer voudrait bien manger la petite plage,
elle envoie des coups de langue jusqu'au
fond, et pas moyen de rester sèche ! Il va y
315 avoir beaucoup de taches d'eau de mer sur ma
lettre, j'espère que ça te plaira. Je suis toute
seule ici, mais je m'amuse bien. Je ne vais plus
du tout au lycée maintenant, c'est décidé,

terminé. Je n'irai plus jamais, même si on
320 doit me mettre en prison. D'ailleurs ce ne
serait pas pire.»

Il ne restait plus tellement d'espace libre sur la feuille de papier.
Alors Lullaby s'amusa à boucher les trous les uns après les autres,
en écrivant des mots, des bouts de phrase, au hasard :

325 «La mer est bleue»
«Soleil»
«Envoie orchidées blanches»
«La cabane en bois, dommage qu'elle ne soit
pas là»
330 «Écris-moi»
«Il y a un bateau qui passe, où est-ce qu'il
va?»
«Je voudrais être sur une grande montagne»
«Dis-moi comment est la lumière chez toi»
335 «Parle-moi des pêcheurs de corail»
«Comment va Sloughi?»

Elle ferma les derniers espaces blancs avec des mots :
«Algues»
«Miroir»
340 «Loin»
«Lucioles»
«Rallye»
«Balancier»
«Coriandre»
345 «Étoile»

Ensuite elle plia le papier et elle le glissa dans l'enveloppe,
avec une feuille d'herbe qui sent le miel.

Quand elle remonta à travers les rochers, elle vit pour la deuxième
fois les signes bizarres écrits à la craie sur les rochers. Il y avait
350 des flèches aussi, pour indiquer le chemin à suivre. Sur un grand
rocher plat, elle lut :
«NE VOUS DÉCOURAGEZ PAS!»

Et un peu plus loin :

« ÇA FINIT PEUT-ÊTRE EN QUEUE DE POISSON »

355 Lullaby regarda à nouveau autour d'elle, mais il n'y avait per-sonne dans les rochers, aussi loin qu'on puisse voir. Alors elle continua sa route. Elle grimpa, elle redescendit, elle sauta par-dessus les fissures, et à la fin elle arriva au bout du cap, là où il y avait un plateau de pierres, et la maison grecque.

360 Lullaby s'arrêta, émerveillée. Jamais elle n'avait vu une aussi jolie maison. Elle était construite au milieu des rochers et des plantes grasses, face à la mer, toute carrée et simple avec une véranda soutenue par six colonnes, et elle ressemblait à un temple en miniature. Elle était d'un blanc éblouissant, silencieuse, blottie

365 contre la falaise abrupte qui l'abritait du vent et des regards.

Lullaby s'approcha lentement de la maison, le cœur battant très fort. Il n'y avait personne, et ça devait faire des années qu'elle était abandonnée, parce que les herbes et les lianes avaient envahi la véranda, et les volubilis s'étaient enroulés autour des

370 colonnes.

Quand Lullaby fut tout près de la maison, elle vit qu'il y avait un mot gravé au-dessus de la porte, dans le plâtre du péristyle[1] :

ΧΑΡΙΣΜΑ[2]

Lullaby lut le nom à voix haute, et elle pensait qu'aucune

375 maison n'avait jamais eu un nom aussi beau.

Une clôture de grillage rouillé entourait la maison. Lullaby longea le grillage pour trouver une entrée. Elle arriva devant un endroit où le grillage était soulevé, et c'est par là qu'elle passa, à quatre pattes. Elle n'avait pas peur, tout était silencieux.

380 Lullaby marcha dans le jardin jusqu'à l'escalier de la véranda, et elle s'arrêta devant la porte de la maison. Après une seconde

---

1. Péristyle : colonnade formant un porche devant un édifice.
2. ΧΑΡΙΣΜΑ : cadeau, don de dieu, grâce (mot grec se prononçant *karisma*).

d'hésitation, elle poussa la porte. L'intérieur de la maison était sombre, et il lui fallut attendre que ses yeux s'habituassent. Alors elle vit une seule pièce aux murs abîmés, dont le sol était jon-
385 ché de débris, de vieux chiffons et de journaux. L'intérieur de la maison était froid. Les fenêtres n'avaient sans doute pas été ouvertes depuis des années. Lullaby essaya d'ouvrir les volets, mais ils étaient coincés. Quand ses yeux furent tout à fait habitués à la pénombre, Lullaby vit qu'elle n'était pas la seule à être entrée ici.
390 Les murs étaient couverts de graffiti et de dessins obscènes. Cela la mit en colère, comme si la maison était vraiment à elle. Avec un chiffon, elle essaya d'effacer les graffitis. Puis elle ressortit sur la véranda, et elle tira si fort la porte que la poignée se brisa et qu'elle faillit tomber.

395 Mais au-dehors, la maison était belle. Lullaby s'assit sur la véranda, le dos appuyé contre une colonne, et elle regarda la mer devant elle, C'était bien, comme cela, avec seulement le bruit de l'eau et le vent qui soufflait entre les colonnes blanches. Entre les fûts[1] bien droits, le ciel et la mer semblaient sans limites. On n'était
400 plus sur la terre, ici, on n'avait plus de racines. La jeune fille res- pirait lentement, le dos bien droit et la nuque appuyée contre la colonne tiède, et chaque fois que l'air entrait dans ses poumons, c'était comme si elle s'élevait davantage dans le ciel pur, au-dessus du disque de la mer. L'horizon était un fil mince qui se courbait
405 comme un arc, la lumière envoyait ses rayons rectilignes, et on était dans un autre monde, aux bords du prisme.

Lullaby entendit une voix qui venait dans le vent, qui parlait près de ses oreilles. Ce n'était plus la voix de M. Filippi maintenant, mais une voix très ancienne, qui avait traversé le ciel et la mer.
410 La voix douce et un peu grave résonnait autour d'elle, dans la lumière chaude, et répétait son nom d'autrefois, le nom que son père lui avait donné un jour, avant qu'elle s'endorme.

« Ariel… Ariel… »

---

1. Fûts : parties droites des colonnes entre la base et le chapiteau.

Très doucement d'abord, puis à voix de plus en plus haute,
Lullaby chantait l'air qu'elle n'avait pas oublié, depuis tant d'années :

> « *Where the bee sucks, there suck I ;*
> *In the cowslip's bell I lie :*
> *There I couch when the owls do cry.*
> *On the bat's back I do fly*
> *After summer merrily :*
> *Merrily, merrily shall I live now,*
> *Under the blossom that hangs on the bough*[1]. »

Sa voix claire allait dans l'espace libre, la portait au-dessus de
la mer. Elle voyait tout, au-delà des côtes brumeuses, au-delà
des villes, des montagnes. Elle voyait la route large de la mer,
où avancent les rangs des vagues, elle voyait tout jusqu'à l'autre
rive, la longue bande de terre grise et sombre où croissent les
forêts de cèdres, et plus loin encore, comme un mirage, la cime
neigeuse du Kuhha-Ye Alborz[2].

Lullaby resta longtemps assise contre la colonne, à regarder
la mer et à chanter pour elle-même les paroles de la chanson
d'Ariel, et d'autres chansons que son père avait inventées. Elle
resta jusqu'à ce que le soleil soit tout près du fil de l'horizon et que
la mer soit devenue violette. Alors elle quitta la maison grecque,
et elle reprit le chemin des contrebandiers dans la direction de la
ville. Quand elle arriva du côté du bunker, elle aperçut un petit
garçon qui revenait de la pêche. Il se retourna pour l'attendre.

« Bonsoir ! » dit Lullaby.

« Salut ! » dit le petit garçon.

---

1. Citation d'un passage de *La Tempête* de Shakespeare. Dans la pièce, Ariel esprit de l'air, retenu prisonnier et obligé de servir Prospero, enchante les autres personnages avec ses chansons avant de retrouver sa liberté : « Où butine abeille, ainsi fais-je./ J'emprunte au coucou sa clochette/ Et dors au cri de la chouette./ Sur la chauve-souris monté, Je pourchasse gaiement l'été./ Gaiement, gaiement, gaiement vivrai-je désormais./ Dessous la fleur que le rameau balance » (trad. P. Leyris et E. Holland, Gallimard, « Bibliothèque de la Pléiade », 1959).
2. Kuhha-Ye-Alborz : montagne au nord de Téhéran, en Iran.

Il avait un visage sérieux et ses yeux bleus étaient cachés par des lunettes. Il portait une longue gaule et un sac de pêche, et il avait noué ses chaussures autour de son cou pour marcher.

Ils firent le chemin ensemble, en parlant un peu. Quand ils
445 arrivèrent au bout du chemin, comme il restait encore quelques minutes de jour, ils s'assirent dans les rochers pour regarder la mer. Le petit garçon enfila ses chaussures. Il raconta à Lullaby l'histoire de ses lunettes. Il dit qu'un jour, il y avait quelques années, il avait voulu regarder une éclipse de soleil et que depuis
450 le soleil était resté marqué dans ses yeux.

Pendant ce temps, le soleil se couchait. Ils virent le phare s'allumer, puis les réverbères et les feux de position des avions. L'eau devenait noire. Alors, le petit garçon à lunettes se leva le premier. Il ramassa sa gaule et son sac et il fit un signe à Lullaby
455 avant de s'en aller.

Quand il était déjà un peu loin, Lullaby lui cria:

« Fais-moi un dessin, demain ! »

Le petit garçon fit oui de la tête.

2

Ça faisait plusieurs jours maintenant que Lullaby allait du côté
de la maison grecque. Elle aimait bien le moment où, après avoir
sauté sur tous ces rochers, bien essoufflée d'avoir couru et grimpé
partout, et un peu ivre de vent et de lumière, elle voyait surgir
contre la paroi de la falaise la silhouette blanche, mystérieuse, qui
ressemblait à un bateau amarré. Il faisait très beau ces jours-là, le
ciel et la mer étaient bleus, et l'horizon était si pur qu'on voyait
la crête des vagues. Quand Lullaby arrivait devant la maison, elle
s'arrêtait, et son cœur battait plus vite et plus fort, et elle sentait
une chaleur étrange dans les veines de son corps, parce qu'il y
avait sûrement un secret dans cet endroit.

Le vent tombait d'un seul coup, et elle sentait toute la lumière
du soleil qui l'enveloppait doucement, qui électrisait sa peau et
ses cheveux. Elle respirait plus profondément, comme quand
on va nager longtemps sous l'eau.

Lentement, elle faisait le tour du grillage, jusqu'à l'ouverture.
Elle s'approchait de la maison, en regardant les six colonnes
régulières blanches de lumière. À haute voix, elle lisait le mot
magique écrit dans le plâtre du péristyle, et c'était peut-être à
cause de lui qu'il y avait tant de paix et de lumière

« Karisma… »

Le mot rayonnait à l'intérieur de son corps, comme s'il était
écrit aussi en elle, et qu'il l'attendait. Lullaby s'asseyait sur le

sol de la véranda, le dos appuyé contre la dernière colonne de droite, et elle regardait la mer.

Le soleil brûlait son visage. Les rayons de lumière sortaient d'elle, par ses doigts, par ses yeux, sa bouche, ses cheveux, ils rejoignaient les éclats des rochers et de la mer.

Il y avait le silence, surtout, un silence si grand et si fort que Lullaby avait l'impression qu'elle allait mourir. Très vite, la vie se retirait d'elle et partait, s'en allait dans le ciel et dans la mer. C'était difficile à comprendre, mais Lullaby était certaine que c'était comme cela, la mort. Son corps restait où il était, dans la position assise, le dos appuyé contre la colonne blanche, tout enveloppé de chaleur et de lumière. Mais les mouvements s'en allaient, se dissolvaient devant elle. Elle ne pouvait pas les retenir. Elle sentait tout ce qui la quittait, s'éloignait d'elle à grande vitesse comme des vols d'étourneaux, comme des trombes de poussière[1]. C'étaient tous les mouvements de ses bras et de ses jambes, les tremblements intérieurs, les frissons, les sursauts. Cela partait vite, en avant, lancé dans l'espace vers la lumière et la mer. Mais c'était agréable, et Lullaby ne résistait pas. Elle ne fermait pas les yeux. Les pupilles agrandies, elle regardait droit devant elle, sans ciller, toujours le même point sur le mince fil de l'horizon, là où il y avait le pli entre le ciel et la mer.

La respiration devenait de plus en plus lente, et dans sa poitrine, le cœur espaçait ses coups, lentement, lentement. Il n'y avait presque plus de mouvements, presque plus de vie en elle, seulement son regard qui s'élargissait, qui se mêlait à l'espace comme un faisceau de lumière. Lullaby sentait son corps s'ouvrir, très doucement, comme une porte, et elle attendait de rejoindre la mer. Elle savait qu'elle allait voir cela, bientôt, alors elle ne pensait à rien, elle ne voulait rien d'autre. Son corps resterait loin en arrière, il serait pareil aux colonnes blanches et aux murs couverts de plâtre, immobile, silencieux. C'était cela, le secret

---

1. Trombes de poussière : grande quantité de poussière.

de la maison. C'était l'arrivée vers le haut de la mer, tout à fait
515 au sommet du grand mur bleu, à l'endroit où l'on va enfin voir
ce qu'il y a de l'autre côté. Le regard de Lullaby était étendu, il
planait sur l'air, la lumière, au-dessus de l'eau.

Son corps ne devenait pas froid, comme sont les morts dans
leurs chambres. La lumière continuait à entrer, jusqu'au fond
520 des organes, jusqu'à l'intérieur des os, et elle vivait à la même
température que l'air, comme les lézards.

Lullaby était pareille à un nuage, à un gaz, elle se mélangeait
à ce qui l'entourait. Elle était pareille à l'odeur des pins chauffés
par le soleil, sur les collines, pareille à l'odeur de l'herbe qui
525 sent le miel. Elle était l'embrun des vagues où brille l'arc-en-ciel
rapide. Elle était le vent, le souffle froid qui vient de la mer, le
souffle chaud comme une haleine qui vient de la terre fermentée
au pied des buissons. Elle était le sel, le sel qui brille comme le
givre sur les vieux rochers, ou bien le sel de la mer, le sel lourd
530 et âcre des ravins sous-marins. Il n'y avait plus une seule Lullaby
assise sur la véranda d'une vieille maison pseudo-grecque[1] en
ruine. Elles étaient aussi nombreuses que les étincelles de lumière
sur les vagues.

Lullaby voyait avec tous ses yeux, de toutes parts. Elle voyait
535 des choses qu'elle n'aurait pu imaginer autrefois. Des choses très
petites, des cachettes d'insectes, des galeries de vers. Elle voyait les
feuilles des plantes grasses, les racines. Elle voyait des choses très
grandes, l'envers des nuages, les astres derrière l'écran du ciel,
les calottes polaires[2], les immenses vallées et les pics infinis des
540 profondeurs de la mer. Elle voyait tout cela au même instant, et
chaque regard durait des mois, des années. Mais elle voyait sans
comprendre, parce que c'étaient les mouvements de son corps,
séparés, qui parcouraient l'espace au-devant d'elle.

---

1. Pseudo-grecque : faussement grecque. La maison imite l'architecture grecque.
2. Calottes polaires : régions situées autour des pôles.

545 C'était comme si elle pouvait enfin, après la mort, examiner les lois qui forment le monde. C'étaient des lois étranges qui ne ressemblaient pas du tout à celles qui sont écrites dans les livres et qu'on apprenait par cœur à l'école. Il y avait la loi de l'horizon qui attire le corps, une loi très longue et très mince, un seul trait dur qui unissait les deux sphères mobiles du ciel et de la mer.

550 Là-bas, tout naissait, se multipliait, en formant des vols de chiffres et de signes qui obscurcissaient le soleil et s'éloignaient vers l'inconnu. Il y avait la loi de la mer, sans commencement ni fin, où se brisaient les rayons de la lumière. Il y avait la loi du ciel, la loi du vent, la loi du soleil, mais on ne pouvait pas les comprendre,

555 parce que leurs signes n'appartenaient pas aux hommes.

Plus tard, quand Lullaby se réveillait, elle essayait de se souvenir de ce qu'elle avait vu. Elle aurait bien voulu pouvoir écrire tout cela à M. Filippi, parce que lui, peut-être, aurait compris ce que voulaient dire tous ces chiffres et tous ces signes. Mais elle ne

560 trouvait que des bribes[1] de phrases, qu'elle répétait plusieurs fois à voix haute :

«Là où on boit la mer»

«Les points d'appui de l'horizon»

«Les roues (ou les routes) de la mer»

565 et elle haussait les épaules, parce que cela ne voulait pas dire grand-chose.

Ensuite Lullaby quittait son poste, elle sortait du jardin de la maison grecque et elle descendait vers la mer. Le vent revenait d'un seul coup, secouait durement ses cheveux et ses habits,

570 comme pour tout remettre en ordre.

Lullaby aimait bien ce vent-là. Elle voulait lui donner des choses, parce que le vent a besoin de manger souvent, des feuilles, des poussières, les chapeaux des messieurs ou bien les petites gouttes qu'il arrache à la mer et aux nuages.

---

1. Bribes : morceaux, fragments incomplets.

575 Lullaby s'asseyait dans un creux du rocher, si près de l'eau que les vagues venaient lécher ses pieds. Le soleil brûlait au-dessus de la mer, il l'éblouissait en se réverbérant sur les côtés des vagues.

Il n'y avait absolument personne d'autre que le soleil, le vent et la mer, et Lullaby prenait dans son sac le paquet de lettres. Elle les
580 tirait une à une en écartant l'élastique, et elle lisait quelques mots, quelques formules, au hasard. Quelquefois elle ne comprenait pas, et elle relisait à haute voix pour que ce soit plus vrai.

« … Les tissus rouges qui flottent comme des drapeaux… »

« Les narcisses jaunes sur mon bureau, tout près de ma fenêtre,
585 tu les vois, Ariel ? »

« J'entends ta voix, tu parles dans l'air… »

« … Ariel, air d'Ariel… »

« C'est pour toi, pour que tu te souviennes toujours »

Lullaby jetait les feuilles de papier dans le vent. Elles partaient
590 vite avec un bruit de déchirure, elles volaient un instant au-dessus de la mer, en titubant comme des papillons dans la bourrasque. C'étaient des feuilles de papier-avion un peu bleues, puis elles disparaissaient d'un seul coup dans la mer. C'était bien de lancer ces feuilles de papier dans le vent, d'éparpiller ces mots, et
595 Lullaby regardait le vent les manger avec joie.

Elle avait envie de faire du feu. Elle chercha dans les rochers un endroit où le vent ne soufflerait pas trop fort. Un peu plus loin, elle trouva la petite crique avec l'embarcadère en ruine, et c'est là qu'elle s'installa.

600 C'était un bon endroit pour faire du feu. Les rochers blancs entouraient l'embarcadère, et les rafales du vent n'arrivaient pas jusque-là. À la base du rocher, il y avait un creux bien sec et chaud, et tout de suite les flammes s'élevèrent, légères, pâles, avec un froissement doux. Lullaby donnait sans cesse de nouvelles
605 feuilles de papier. Elles s'allumaient d'un seul coup, parce qu'elles étaient très sèches et minces et elles se consumaient vite.

C'était bien, de voir les pages bleues se tordre dans les flammes, et les mots s'enfuir comme à reculons, on ne sait où. Lullaby

pensait que son père aurait bien aimé être là pour voir brûler
610 ses lettres, parce qu'il n'écrivait pas des mots pour que ça reste.
Il le lui avait dit, un jour, sur la plage, et il avait mis une lettre
dans une vieille bouteille bleue, pour la jeter très loin dans la
mer. Il avait écrit les mots seulement pour elle, pour qu'elle les
lise et qu'elle entende le bruit de sa voix, et maintenant, les mots
615 pouvaient retourner vers l'endroit d'où ils étaient venus, comme
cela, vite, en lumière et fumée, dans l'air, et devenir invisibles.
Peut-être que quelqu'un, de l'autre côté de la mer verrait la
petite fumée et la flamme qui brillait comme un miroir, et il
comprendrait.

620   Lullaby alimenta le feu avec de petits bouts de bois, des brindilles, des algues sèches, pour faire durer les flammes. Il y avait
toutes sortes d'odeurs qui fuyaient dans l'air, l'odeur légère et
un peu sucrée du papier-avion, l'odeur forte du charbon et du
bois, la fumée lourde des algues.

625   Lullaby regardait les mots qui partaient vite, si vite qu'ils traversaient la pensée comme des éclairs. De temps en temps, elle
les reconnaissait au passage, ou bien déformés et bizarres, tordus
par le feu, et elle riait un peu :

« pluuuie ! »
630   « navre ! »
« eeeelan »
« étététété ! »
« Awiel, iel, eeel… »

Tout à coup, elle sentit une présence derrière elle, et elle se
635 retourna. C'était le petit garçon à lunettes qui la regardait, debout
sur un rocher au-dessus d'elle. Il avait toujours sa gaule à la main
et ses chaussures nouées autour de son cou.

« Pourquoi vous brûlez des papiers ? » demanda-t-il.

Lullaby lui sourit.
640   « Parce que c'est amusant », dit-elle. « Regarde ! »

Elle mit le feu à une grande page bleue sur laquelle était dessiné un arbre.

« Ça brûle bien », dit le petit garçon.

« Tu vois, elles avaient très envie de brûler », expliqua Lullaby.
« Elles attendaient ça depuis longtemps, elles étaient sèches comme des feuilles mortes, c'est pour ça qu'elles brûlent si bien. »

Le petit garçon à lunettes déposa sa gaule et il alla chercher des brindilles pour le feu. Ils s'amusèrent un bon moment à brûler tout ce qu'ils pouvaient. Les mains de Lullaby étaient noircies par la fumée, et ses yeux piquaient. Tous les deux, ils étaient bien fatigués et essoufflés d'avoir servi le feu. Maintenant, le feu semblait un peu fatigué, lui aussi. Ses flammes étaient plus courtes, et les brindilles et les papiers s'éteignaient les uns après les autres.

« Le feu va s'éteindre », dit le petit garçon en essuyant ses lunettes.

« C'est parce qu'il n'y a plus de lettres. C'était ça qu'il voulait. »

Le petit garçon sortit de sa poche une feuille de papier pliée en quatre.

« Qu'est-ce que c'est ? » demanda Lullaby. Elle prit la feuille et l'ouvrit. C'était un dessin qui représentait une femme au visage noir. Lullaby reconnut son chandail vert.

« C'est mon dessin ? »

« Je l'ai fait pour vous », dit le petit garçon. « Mais on peut le brûler. »

Mais Lullaby replia le dessin et regarda le feu s'éteindre.

« Vous ne voulez pas le brûler maintenant ? » demanda le petit garçon.

« Non, pas aujourd'hui », dit Lullaby.

Après le feu, c'était la fumée qui s'éteignait. Le vent soufflait sur les cendres.

« Je le brûlerai quand je l'aimerai beaucoup », dit Lullaby.

Ils restèrent longtemps assis sur l'embarcadère, à regarder la mer, presque sans parler. Le vent passait sur la mer, en soulevant les gouttes d'embrun qui piquaient leur visage. C'était comme d'être assis à la proue d'un bateau, au large. On n'entendait rien d'autre que le bruit des vagues et le sifflement allongé du vent.

680 Quand le soleil fut à sa place de midi, le petit garçon à lunettes se leva et ramassa sa gaule et ses chaussures.

«Je m'en vais», dit-il.

«Tu ne veux pas rester?»

«Je ne peux pas, je dois rentrer.»

685 Lullaby se leva, elle aussi.

«Vous allez rester ici?» demanda le petit garçon.

«Non, je vais voir par là, plus loin.»

Elle montra les rochers, au bout du cap.

«Là-bas, il y a une autre maison, mais elle est beaucoup plus 690 grande, on dirait un théâtre.» Le petit garçon expliquait à Lullaby. «Il faut escalader les rochers, et puis on peut entrer, par en bas.»

«Tu y es déjà allé?»

«Oui, souvent. C'est beau, mais c'est difficile pour y arriver.»

695 Le petit garçon à lunettes mit les chaussures autour de son cou et il s'éloigna vite.

«Au revoir!» dit Lullaby.

«Salut!» dit le petit garçon.

Lullaby marcha vers la pointe du cap. Elle courait presque, 700 sautant d'un rocher à l'autre. Il n'y avait plus de chemin, par ici. Il fallait escalader les rochers, en s'agrippant aux racines de bruyère et aux herbes. On était loin, perdu au milieu des pierres blanches, suspendu entre le ciel et la mer. Malgré le froid du vent, Lullaby sentait la brûlure du soleil. Elle transpirait sous 705 ses habits. Son sac la gênait, et elle décida de le cacher quelque part, pour le prendre plus tard. Elle l'enfouit dans un creux de terre, au pied d'un gros aloès. Elle ferma la cachette en poussant deux ou trois cailloux.

Au-dessus d'elle, maintenant, il y avait l'étrange maison en 710 ciment dont avait parlé le petit garçon. Pour y arriver, il fallait

monter le long d'un éboulis. La ruine blanche brillait dans la lumière du soleil. Lullaby hésita un instant, parce que tout était tellement étrange et silencieux dans cet endroit. Au-dessus de la mer, accrochés à la paroi rocheuse, les longs murs de ciment
715 n'avaient pas de fenêtres.

Un oiseau de mer fit des cercles au-dessus de la ruine, et Lullaby eut soudain très envie d'être là-haut. Elle commença à grimper le long de l'éboulis. Les arêtes des cailloux écorchaient ses mains et ses genoux, et de petites avalanches glissaient derrière elle.
720 Quand elle arriva tout en haut, elle se retourna pour regarder la mer, et elle dut fermer les yeux pour ne pas sentir le vertige. Au-dessous d'elle, si loin qu'on regardât, il n'y avait que cela : la mer. Immense, bleue, la mer emplissait l'espace jusqu'à l'horizon agrandi, et c'était comme un toit sans fin, un dôme géant fait
725 de métal sombre, où bougeaient toutes les rides des vagues. Par endroits, le soleil s'allumait sur elle, et Lullaby voyait les taches et les chemins obscurs des courants, les forêts d'algues, les traces de l'écume. Le vent balayait sans arrêt la mer, lissait sa surface.

Lullaby ouvrit les yeux et regarda tout, en s'accrochant aux
730 rochers avec ses ongles. La mer était si belle qu'il lui semblait qu'elle traversait sa tête et son corps à toute vitesse, qu'elle bousculait des milliers de pensées à la fois.

Lentement, avec précaution, Lullaby s'approcha de la ruine. C'était bien ce qu'avait dit le petit garçon à lunettes, une sorte de
735 théâtre, fait de grands murs de ciment armé[1]. Entre les hauts murs, la végétation poussait, des ronces et des lianes qui recouvraient complètement le sol. Sur les murs, il y avait un toit de dalles de béton, effondré par endroits. Le vent de la mer s'engouffrait par les ouvertures, de chaque côté de l'édifice, avec des rafales
740 brutales qui mettaient en mouvement les morceaux de fer de l'armature du toit. Les lames s'entrechoquaient en faisant une musique étrange, et Lullaby resta immobile pour l'écouter. C'était

---

1. Ciment armé : ciment renforcé de barres de métal pour être plus solide.

comme les cris des sternes et comme le murmure des vagues, une drôle de musique irréelle et sans rythme qui vous faisait
745 frissonner. Lullaby se remit en marche. Le long du mur extérieur, il y avait un chemin étroit qui franchissait la broussaille, et qui conduisait jusqu'à un escalier à moitié démoli. Lullaby monta les marches de l'escalier, et elle arriva jusqu'à une plate-forme, sous le toit, d'où on voyait la mer par une brèche. C'est là que
750 Lullaby s'assit, tout à fait en face de l'horizon, au soleil, et elle regarda encore la mer. Puis elle ferma les yeux.

Tout à coup, elle tressaillit, parce qu'elle avait senti que quelqu'un arrivait. Il n'y avait pas d'autre bruit que le vent agitant les lames de fer du toit, et pourtant elle avait senti le danger. À l'autre
755 bout de la ruine, sur le chemin au milieu des ronces, quelqu'un arrivait, en effet. C'était un homme vêtu d'un pantalon de toile bleue et d'un blouson, au visage noirci par le soleil, aux cheveux hirsutes. Il marchait sans faire de bruit, en s'arrêtant de temps en temps, comme s'il cherchait quelque chose. Lullaby
760 resta immobile contre le mur, le cœur battant, espérant qu'il ne l'avait pas vue. Sans comprendre bien pourquoi, elle savait que l'homme la cherchait, et elle retint sa respiration, pour qu'il ne l'entende pas. Mais quand l'homme fut à la moitié du chemin, il releva la tête tranquillement et il regarda la jeune fille. Ses yeux
765 verts brillaient bizarrement dans son visage sombre. Puis, sans se presser, il recommença à marcher vers l'escalier. C'était trop tard pour redescendre ; d'un bond, Lullaby sortit par la brèche et grimpa sur le toit. Le vent soufflait si fort qu'elle faillit tomber. Aussi vite qu'elle put, elle se mit à courir vers l'autre bout du
770 toit, et elle entendit le bruit de ses pieds qui résonnaient dans la grande salle en ruine. Son cœur cognait très fort dans sa poitrine. Quand elle arriva au bout du toit, elle s'arrêta : devant elle, il y avait un grand fossé qui la séparait de la paroi de la falaise. Elle écouta autour d'elle. Il n'y avait toujours que le bruit du vent
775 dans les lames de fer du toit, mais elle savait que l'inconnu n'était pas loin ; il courait sur le chemin au milieu des ronces pour faire

le tour de la ruine et la prendre à revers. Alors Lullaby sauta. En tombant sur la pente de la falaise, sa cheville gauche se tordit, et elle sentit une douleur ; elle cria seulement :

780 « Ah ! »

L'homme surgit devant elle, sans qu'elle puisse comprendre d'où il sortait. Ses mains étaient griffées par les ronces et il soufflait un peu. Il restait immobile devant elle, ses yeux verts durcis comme de petits morceaux de verre. Était-ce lui qui avait écrit
785 les messages à la craie sur les rochers, tout le long du chemin ? Ou bien il était entré dans la belle maison grecque, et il avait sali les murs avec toutes ces inscriptions obscènes. Il était si près de Lullaby qu'elle sentait son odeur, une odeur fade et aigre de sueur qui avait imprégné ses habits et ses cheveux. Tout à coup,
790 il fit un pas en avant, la bouche ouverte, les yeux un peu rétrécis. Malgré la douleur dans sa cheville, Lullaby bondit et commença à dévaler la pente, au milieu d'une avalanche de cailloux. Quand elle arriva au bas de la falaise, elle s'arrêta et se retourna. Devant les murs blancs de la ruine, l'homme était resté debout, les bras
795 écartés, comme en équilibre.

Le soleil frappait fort sur la mer, et grâce au vent froid, Lullaby sentit que ses forces revenaient. Elle sentit aussi le dégoût, et la colère, qui remplaçaient peu à peu la crainte. Puis soudain, elle comprit que rien ne pourrait lui arriver, jamais. C'était le vent, la
800 mer, le soleil. Elle se souvint de ce que son père lui avait dit, un jour, à propos du vent, de la mer, du soleil, une longue phrase qui parlait de liberté et d'espace, quelque chose comme cela. Lullaby s'arrêta sur un rocher en forme d'étrave[1], au-dessus de la mer, et elle renversa sa tête en arrière pour mieux sentir la
805 chaleur de la lumière sur son front et sur ses paupières. C'était son père qui lui avait appris à faire cela, pour retrouver ses forces, il appelait cela « boire le soleil ».

---

1. Étrave : pièce de bois qui termine la coque d'un bateau vers l'avant, formant la proue.

Lullaby regarda la mer qui se balançait sous elle, qui cognait la base du roc, en faisant ses remous et ses nuées de bulles filantes. Elle se laissa tomber, la tête la première, et elle entra dans la vague. L'eau froide l'enveloppa en pressant sur ses tympans et sur ses narines, et elle vit dans ses yeux une lueur éblouissante. Quand elle remonta à la surface, elle secoua ses cheveux et elle poussa un cri. Loin derrière elle, pareille à un immense cargo gris, la terre oscillait, chargée de pierres et de plantes. Au sommet, la maison blanche en ruine ressemblait à une passerelle ouverte sur le ciel.

Lullaby se laissa porter un instant dans le mouvement lent des vagues, et ses habits collèrent à sa peau comme des algues. Puis elle commença à nager un crawl très long, vers le large, jusqu'à ce que le cap s'écarte et laisse voir au loin, à peine visible dans la brume de chaleur, la ligne pâle des immeubles de la ville.

3

Ça ne pouvait pas durer toujours. Lullaby le savait bien. D'abord il y avait tous ces gens, à l'école, et dans la rue. Ils racontaient des choses, ils parlaient trop. Il y avait même des filles qui arrêtaient Lullaby pour lui dire qu'elle exagérait un peu, que la Directrice et tout le monde savait bien qu'elle n'était pas malade. Et puis il y avait ces lettres qui demandaient des explications. Lullaby avait ouvert les lettres, et elle avait répondu en signant du nom de sa mère ; elle avait même téléphoné un jour au bureau du censeur en contrefaisant sa voix pour expliquer que sa fille était malade, très malade, et qu'elle ne pouvait pas reprendre les cours.

Mais ça ne pouvait pas durer, pensait Lullaby. Ensuite il y avait M. Filippi qui avait écrit une lettre, pas très longue, une lettre bizarre pour lui demander de revenir. Lullaby avait mis la lettre dans la poche de son blouson, et elle la portait toujours sur elle. Elle aurait bien voulu répondre à M. Filippi, pour lui expliquer, mais elle avait peur que la Directrice ne lise la lettre et qu'elle sache que Lullaby n'était pas malade, mais qu'elle se promenait.

Le matin, il faisait un temps extraordinaire, quand Lullaby sortit de l'appartement. Sa mère dormait encore, à cause des pilules qu'elle prenait chaque soir, depuis son accident. Lullaby entra dans la rue, et elle fut éblouie par la lumière.

Le ciel était presque blanc, la mer étincelait. Comme les autres jours, Lullaby prit le chemin des contrebandiers. Les rochers

blancs semblaient des icebergs debout sur l'eau. Un peu penchée en avant contre le vent, Lullaby marcha un moment le long
de la côte. Mais elle n'osait plus aller jusqu'à la plate-forme de
ciment, de l'autre côté du bunker. Elle aurait bien voulu revoir
850 la belle maison grecque aux six colonnes, pour s'asseoir et se
laisser emporter jusqu'au centre de la mer. Mais elle avait peur
de rencontrer l'homme aux cheveux hirsutes qui écrivait sur les
murs et sur les rochers. Alors elle s'assit sur une pierre, au bord
du chemin, et elle essaya d'imaginer la maison. Elle était toute
855 petite et blottie contre la falaise, ses volets et sa porte fermés.
Peut-être que désormais plus personne n'y entrerait. Au-dessus
des colonnes, sur le chapiteau triangulaire, son nom était éclairé
par le soleil, il disait toujours :

ΧΑΡΙΣΜΑ

860 car c'était le mot le plus beau du monde.

Appuyée contre le rocher, Lullaby regarda encore une fois, très
longtemps, la mer, comme si elle ne devait pas la revoir. Jusqu'à
l'horizon, les vagues serrées bougeaient. La lumière scintillait
sur leurs crêtes, comme du verre pilé. Le vent salé soufflait. La
865 mer mugissait entre les pointes des rochers, les branches des
arbustes sifflaient. Lullaby se laissa gagner encore une fois par
l'ivresse étrange de la mer et du ciel vide. Puis, vers midi, elle
tourna le dos à la mer et elle rejoignit en courant la route qui
conduisait vers le centre-ville.

870 Dans les rues, le vent n'était pas le même. Il tournait sur lui-
même, il passait en rafales qui claquaient les volets et soulevaient
des nuages de poussière. Les gens n'aimaient pas le vent. Ils traversaient les rues en hâte, s'abritaient dans les coins de murs.

Le vent et la sécheresse avaient tout chargé d'électricité. Les
875 hommes sautillaient nerveusement, s'interpellaient, se heurtaient,
et quelquefois sur la chaussée noire deux autos s'emboutissaient
en faisant de grands bruits de ferraille et de klaxon coincé.

Lullaby marchait dans les rues à grandes enjambées, les yeux à moitié fermés à cause de la poussière. Quand elle arriva au
880 centre-ville, sa tête tournait comme prise par le vertige. La foule allait et venait, tourbillonnait comme les feuilles mortes. Les groupes d'hommes et de femmes s'aggloméraient, se dispersaient, se reformaient plus loin, comme la limaille de fer[1] dans un champ magnétique. Où allaient-ils? Que voulaient-ils? Il y
885 avait si longtemps que Lullaby n'avait vu tant de visages, d'yeux, de mains, qu'elle ne parvenait pas à comprendre. Le mouvement lent de la foule, le long des trottoirs, la prenait, la poussait en avant sans qu'elle sache où elle allait. Les gens passaient tout près d'elle, et elle sentait leur haleine, le frôlement de leurs
890 mains. Un homme se pencha contre son visage et murmura quelque chose, mais c'était comme s'il parlait dans une langue inconnue.

Sans même s'en rendre compte, Lullaby entra dans un grand magasin, plein de lumière et de bruit. C'était comme si le vent
895 soufflait aussi à l'intérieur, le long des allées, dans les escaliers, en faisant tournoyer les grandes pancartes. Les poignées des portes envoyaient des décharges électriques, les barres de néon luisaient comme des éclairs pâles.

Lullaby chercha la sortie du magasin, presque en courant.
900 Quand elle passa devant la porte, elle heurta quelqu'un et elle murmura:

«Pardon, madame»

mais c'était seulement un grand mannequin de matière plastique, vêtu d'une cape de loden[2] vert. Les bras écartés du man-
905 nequin vibraient un peu, et son visage pointu, couleur de cire, ressemblait à celui de la Directrice. À cause du choc, la perruque noire du mannequin avait glissé de travers et tombait sur son œil

---

1. Limaille de fer : petites particules de fer.
2. Loden : tissu de laine chaud et imperméable.

aux cils pareils à des pattes d'insecte, et Lullaby se mit à rire et
à frissonner en même temps.

910   Elle se sentait très fatiguée maintenant, vide. C'était peut-être
parce qu'elle n'avait rien mangé depuis la veille, et elle entra
dans un café. Elle s'assit au fond de la salle, là où il y avait un peu
d'ombre. Le garçon de café était debout devant elle.

«Je voudrais une omelette», dit Lullaby.

915   Le garçon la regarda un instant, comme s'il ne comprenait
pas. Puis il cria vers le comptoir :

«Une omelette pour la demoiselle !»

Il continua à la regarder.

Lullaby prit une feuille de papier dans la poche de son blou-
920   son et elle essaya d'écrire. Elle voulait écrire une longue lettre,
mais elle ne savait pas à qui l'envoyer. Elle voulait écrire à la fois
à son père, à sœur Laurence, à M. Filippi, et au petit garçon à
lunettes pour le remercier de son dessin. Mais ça n'allait pas.
Alors elle froissa la feuille de papier, en prit une autre. Elle
925   commença :

«Madame la Directrice,
Veuillez excuser ma fille de ne pouvoir reprendre les cours
actuellement, car son état de santé demande»

Elle s'arrêta encore. Demande quoi ? Elle n'arrivait pas à penser
930   à quoi que ce soit.

«L'omelette de la demoiselle», dit la voix du garçon de café. Il posait
l'assiette sur la table et regardait Lullaby d'un air bizarre.

Lullaby froissa la deuxième feuille de papier et elle commença
à manger l'omelette, sans relever la tête. La nourriture chaude
935   lui fit du bien, et elle put se lever bientôt et marcher.

Quand elle arriva devant la porte du Lycée, elle hésita quelques secondes.

Elle entra. La rumeur des voix d'enfants l'enveloppa d'un seul
coup. Elle reconnut tout de suite chaque marronnier, chaque

940 platane. Leurs branches maigres étaient agitées par les bourrasques, et leurs feuilles tournoyaient dans la cour. Elle reconnut aussi chaque brique, chaque banc de matière plastique bleue, chacune des fenêtres en verre dépoli. Pour éviter les enfants qui couraient, elle alla s'asseoir sur un banc, au fond de la cour. Elle
945 attendit. Personne ne semblait faire attention à elle.

Puis la rumeur décrut. Les groupes d'élèves entraient dans les salles de classe, les portes se fermaient les unes après les autres. Bientôt il ne resta plus que les arbres secoués par le vent, et la poussière et les feuilles mortes qui dansaient en rond au milieu
950 de la cour.

Lullaby avait froid. Elle se leva, et elle se mit à chercher M. Filippi. Elle ouvrit les portes du bâtiment préfabriqué, là où il y avait les laboratoires. Chaque fois, elle surprenait une phrase qui restait un instant suspendue dans l'air, puis qui repartait quand elle
955 refermait la porte.

Lullaby traversa à nouveau la cour et elle frappa à la porte vitrée du concierge.

«Je voudrais voir M. Filippi», dit-elle.

L'homme la regarda avec étonnement.

960 «Il n'est pas encore arrivé», dit-il; il réfléchit un peu. «Mais je crois que la Directrice vous cherche. Venez avec moi.»

Lullaby suivit docilement le concierge. Il s'arrêta devant une porte vernie et il frappa. Puis il ouvrit la porte et il fit signe à Lullaby d'entrer.

965 Derrière son bureau, la Directrice la regarda avec des yeux perçants.

«Entrez et asseyez-vous. Je vous écoute.»

Lullaby s'assit sur la chaise et regarda le bureau ciré. Le silence était si menaçant qu'elle voulut dire quelque chose.

970 «Je voudrais voir M. Filippi», dit-elle. «Il m'a écrit une lettre.»

La Directrice l'interrompit. Sa voix était froide et dure, comme son regard.

« Je sais. Il vous a écrit. Moi aussi. Il ne s'agit pas de ça, mais de
975 vous. Où étiez-vous ? Vous avez sûrement des choses… intéressantes
à raconter. Alors, je vous écoute, mademoiselle. »

Lullaby évita son regard.

« Ma mère… », commença-t-elle.

La Directrice cria presque.

980 « Votre mère sera mise au courant de tout ceci plus tard, et
votre père aussi, naturellement. »

Elle montra une feuille de papier que Lullaby reconnut aussitôt.

« Et de cette lettre, qui est un faux ! »

985 Lullaby ne nia pas. Elle ne s'étonna même pas.

« Je vous écoute », répéta la Directrice. L'indifférence de Lullaby
semblait la mettre peu à peu hors d'elle. C'était peut-être aussi
la faute du vent, qui avait rendu tout électrique.

« Où étiez-vous, pendant tout ce temps ? »

990 Lullaby parla. Elle parla lentement, en cherchant un peu ses
mots, parce qu'elle n'avait plus tellement l'habitude maintenant, et tandis qu'elle parlait, elle voyait devant elle, à la place
de la Directrice, la maison à colonnes blanches, les rochers,
et le beau nom grec qui brillait dans le soleil. C'était tout cela
995 qu'elle essayait de raconter à la Directrice, la mer bleue avec
les reflets comme des diamants, le bruit profond des vagues,
l'horizon comme un fil noir, le vent salé où planent les sternes.
La Directrice écoutait, et son visage prit pendant un instant
une expression de stupéfaction intense. Ainsi, elle ressemblait
1000 tout à fait au mannequin avec sa perruque noire de travers,
et Lullaby dut faire des efforts pour ne pas sourire. Quand
elle s'arrêta de parler, il y eut quelques secondes de silence.
Puis le visage de la Directrice changea encore, comme si elle
cherchait sa voix. Lullaby fut étonnée d'entendre son timbre.
1005 Ce n'était plus du tout la même voix, c'était devenu plus grave
et plus doux.

« Écoutez, mon enfant », dit la Directrice.

Elle se pencha sur son bureau ciré en regardant Lullaby. Sa main droite tenait un stylo noir cerclé d'un fil d'or.

«Mon enfant, je suis prête à oublier tout cela. Vous pourrez retourner en classe comme avant. Mais vous devez me dire…»

Elle hésita.

«Vous comprenez, je veux votre bien. Il faut me dire toute la vérité.»

Lullaby ne répondit pas. Elle ne comprenait pas ce que voulait dire la Directrice.

«Vous pouvez me parler sans crainte, tout restera entre nous.»

Comme Lullaby ne répondait toujours pas, la Directrice dit très vite, à voix presque basse:

«Vous avez un petit ami, n'est-ce pas?»

Lullaby voulut protester, mais la Directrice l'empêcha de parler.

«Inutile de nier, certaines — certaines de vos camarades vous ont vue avec un garçon.»

«Mais c'est faux!» dit Lullaby; elle n'avait pas crié, mais la Directrice fit comme si elle avait crié, et elle dit très fort:

«Je veux savoir son nom!»

«Je n'ai pas de petit ami», dit Lullaby. Elle comprit tout d'un coup pourquoi le visage de la Directrice avait changé; c'était parce qu'elle mentait. Alors, elle sentit son propre visage qui devenait comme une pierre, froid et lisse, et elle regarda la Directrice droit dans les yeux, parce que maintenant, elle ne la craignait plus.

La Directrice se troubla, et dut détourner son regard. Elle dit d'abord, avec une voix douce, presque tendre.

«Il faut me dire la vérité, mon enfant, c'est pour votre bien.»

Puis son timbre redevint dur et méchant.

«Je veux savoir le nom de ce garçon!»

Lullaby sentit la colère grandir en elle. C'était très froid et très lourd comme la pierre, et cela s'installait dans ses poumons, dans

117

sa gorge ; son cœur se mit à battre très vite, comme lorsqu'elle avait vu les phrases obscènes sur les murs de la maison grecque.

« Je ne connais pas de garçon, c'est faux, c'est faux ! » cria-t-elle ;
1045 et elle voulut se lever pour s'en aller. Mais la Directrice fit un geste pour la retenir.

« Restez, restez, ne partez pas ! » Sa voix était à nouveau plus basse, un peu cassée. « Je ne dis pas cela pour vous — c'est pour votre bien, mon enfant, c'est seulement pour vous aider, il faut
1050 que vous compreniez — je veux dire — »

Elle lâcha le petit stylo noir à bout doré et elle joignit nerveusement ses mains maigres. Lullaby se rassit et ne bougea plus. Elle respirait à peine, et son visage était devenu tout à fait blanc, comme un masque de pierre. Elle se sentait faible, peut-être
1055 parce qu'elle avait si peu mangé et dormi, tous ces jours, au bord de la mer.

« C'est mon devoir de vous protéger contre les dangers de la vie », dit la Directrice. « Vous ne pouvez pas savoir, vous êtes trop jeune. M. Filippi m'a parlé de vous en termes très élogieux, vous
1060 êtes un bon élément, et je ne voudrais pas que — qu'un accident vienne gâcher tout cela bêtement… »

Lullaby entendait sa voix très loin, comme par-dessus un mur, déformée par le mouvement du vent. Elle voulait parler, mais elle n'arrivait pas bien à bouger les lèvres.

1065 « Vous avez traversé une période difficile, depuis — depuis ce qui est arrivé à votre mère, son séjour à l'hôpital. Vous voyez, je suis au courant de tout cela, et cela m'aide à vous comprendre, mais il faut que vous m'aidiez aussi, il faut que vous fassiez un effort… »

1070 « Je voudrais voir… M. Filippi… », dit enfin Lullaby.

« Vous le verrez plus tard, vous le verrez », dit la Directrice. « Mais il faut que vous me disiez enfin la vérité, où vous étiez. »

« Je vous ai dit, je regardais la mer, j'étais cachée dans les rochers et je regardais la mer. »

1075 « Avec qui ? »

« J'étais seule, je vous l'ai dit, seule. »

« C'est faux ! »

La Directrice avait crié, et elle se reprit tout de suite.

« Si vous ne voulez pas me dire avec qui vous étiez, je vais être obligée d'écrire à vos parents. Votre père… »

Le cœur de Lullaby se remit à battre très fort.

« Si vous faites cela, je ne reviendrai plus jamais ici ! » Elle sentit la force de ses paroles, et elle répéta lentement, sans détourner les yeux.

« Si vous écrivez à mon père, je ne reviendrai plus ici, ni dans aucune autre école. »

La Directrice se tut un long moment, et le silence emplit la grande salle, comme un vent froid. Puis la Directrice se leva. Elle regarda la jeune fille avec attention.

« Il ne faut pas vous mettre dans cet état », dit-elle enfin. « Vous êtes très pâle, vous êtes fatiguée. Nous reparlerons de tout cela une autre fois. »

Elle consulta sa montre.

« Le cours de M. Filippi va commencer dans quelques minutes. Vous pouvez y aller. »

Lullaby se leva lentement. Elle marcha vers la grande porte. Elle se retourna une fois avant de sortir.

« Merci madame », dit-elle.

La cour du Lycée était à nouveau remplie d'élèves. Le vent secouait les branches des platanes et des marronniers, et les voix des enfants faisaient un brouhaha qui enivrait. Lullaby traversa lentement la cour, en évitant les groupes d'élèves et les enfants qui couraient. Quelques filles lui firent signe, de loin, mais sans oser s'approcher, et Lullaby leur répondit par un sourire léger. Quand elle arriva devant le bâtiment préfabriqué, elle vit la silhouette de M. Filippi, près du pilier B. Il était toujours vêtu de son complet bleu-gris, et il fumait une cigarette en regardant devant lui. Lullaby s'arrêta. Le professeur l'aperçut, et vint à sa rencontre en faisant des signes joyeux de la main.

1110 « Eh bien ? Eh bien ? » dit-il. C'est tout ce qu'il trouvait à dire.

« Je voulais vous demander… », commença Lullaby.

« Quoi ? »

« Pour la mer, la lumière, j'avais beaucoup de questions à vous demander. »

1115 Mais Lullaby s'aperçut tout à coup qu'elle avait oublié ses questions. M. Filippi la regarda d'un air amusé.

« Vous avez fait un voyage ? » demanda-t-il.

« Oui… », dit Lullaby.

« Et… C'était bien ? »

1120 « Oh oui ! C'était très bien. »

La sonnerie retentit au-dessus de la cour, dans les galeries.

« Je suis bien content… », dit M. Filippi. Il éteignit sa cigarette sous son talon.

« Vous me raconterez tout ça plus tard », dit-il. La lueur amusée
1125 brillait dans ses yeux bleus, derrière ses lunettes.

« Vous n'allez plus partir en voyage, maintenant ? »

« Non », dit Lullaby.

« Bon, il faut y aller », dit M. Filippi. Il répéta encore : « Je suis bien content. » Il se tourna vers la jeune fille avant d'entrer dans
1130 le bâtiment préfabriqué.

« Et vous me demanderez ce que vous voudrez, tout à l'heure, après le cours. J'aime beaucoup la mer, moi aussi. »

Un quiz pour commencer

Cochez les bonnes réponses.

1 *Quel objet Lullaby veut-elle rendre à son père ?*
- ❏ Un stylo plume.
- ❏ Une montre.
- ❏ Un réveil.

2 *Que met Lullaby dans son sac au moment de son départ ?*
- ❏ Ses affaires de classe.
- ❏ Des vêtements.
- ❏ Divers objets qui ont une valeur affective.

3 *Quand elle marche sur les rochers, de quel adulte Lullaby imagine-t-elle les encouragements ?*
- ❏ De son père.
- ❏ De M. Filippi, son professeur de physique.
- ❏ De la Directrice de son lycée.

❹ *Que fait Lullaby dans la maison grecque ?*
- ❏ Elle s'installe dans la véranda et contemple la mer.
- ❏ Elle arrange une pièce pour y passer la nuit.
- ❏ Elle fait du feu dans la cheminée.

❺ *Que fait brûler Lullaby sur la plage ?*
- ❏ Des livres d'école.
- ❏ Des articles de journaux.
- ❏ Des lettres de son père.

❻ *Qui indique l'existence de la seconde maison à Lullaby ?*
- ❏ M. Filippi dans un rêve éveillé.
- ❏ Un petit garçon qu'elle rencontre.
- ❏ Son père dans une de ses lettres.

❼ *Où sa dernière promenade conduit-elle Lullaby ?*
- ❏ À la maison grecque.
- ❏ À la gendarmerie.
- ❏ À son lycée.

❽ *Pourquoi Lullaby menace-t-elle la Directrice de quitter définitivement l'école ?*
- ❏ Parce que la Directrice veut avertir ses parents.
- ❏ Parce que la Directrice veut la punir.
- ❏ Parce que la Directrice ne veut pas la croire quand elle dit qu'elle n'a pas de petit ami.

❾ *Comment réagit M. Filippi au retour de Lullaby ?*
- ❏ Il lui fait des reproches parce qu'il s'est inquiété.
- ❏ Il ne lui dit rien.
- ❏ Il l'accueille avec affection.

Des questions pour aller plus loin

☛ Comprendre le cheminement de l'héroïne

Lullaby et son histoire

❶ Après avoir relu attentivement la première partie de la nouvelle (p. 83-98), reproduisez et complétez ce tableau pour dresser un portrait de Lullaby.

Nom et surnom	
Informations sur sa famille	
Détails physiques	
Occupations	
Goûts	
Dégoûts et peurs	

❷ Relevez les indications qui permettent de situer le récit dans le temps. Combien de temps dure l'escapade de Lullaby ?

❸ De quel objet Lullaby cherche-t-elle à se défaire ? Pourquoi n'en aura-t-elle plus besoin ?

❹ Quelle expérience Lullaby vit-elle dans la maison grecque ?

❺ Que décide Lullaby à la fin de la nouvelle ? Est-elle changée par ce qu'elle a vécu ?

Lullaby et le monde des sens

❻ Au cours de sa fugue, quel est le premier lieu où s'arrête Lullaby ? Quelles qualités lui trouve-t-elle ?

❼ Dans les descriptions de paysages, relevez les détails évoquant les quatre éléments (terre, air, feu, eau). Lesquels semblent les plus importants aux yeux de Lullaby ?

❽ Quels sont les sentiments que Lullaby éprouve dans la nature ?
À quel moment du récit se sent-elle la plus proche de la nature ?

❾ Quels endroits de la ville sont décrits dans le dernier mouvement de
la nouvelle (p. 111-120) ? Ces lieux peuvent-ils plaire à Lullaby ?

Lullaby et le monde des mots

❿ Comparez les deux lettres écrites par Lullaby : mise en forme
(formules d'adresse, présentation), thèmes abordés et sentiments
exprimés.

⓫ Quels mots Lullaby ajoute-t-elle à sa deuxième lettre une fois
qu'elle est finie ? Comment choisit-elle ces mots ?

⓬ Lorsqu'elle arrive dans la maison grecque, pourquoi Lullaby
se met-elle en colère ? Pourquoi réagit-elle ainsi ?

⓭ Quel mot Lullaby aime-t-elle particulièrement ? Cherchez les
différents sens de ce mot et expliquez son pouvoir particulier.

Lullaby et le monde des adultes

⓮ Que sait-on des parents de Lullaby et des rapports qu'elle entretient
avec eux ?

⓯ Quelles figures d'adultes sont rejetées par Lullaby ? Que leur
reproche-t-elle ?

⓰ De quel adulte Lullaby est-elle proche ? Quel détail physique
le rapproche d'un autre personnage de l'histoire ?

⓱ Comment se comporte Lullaby face à la Directrice ? A-t-elle encore
une attitude d'enfant soumise au monde adulte ?

> **Rappelez-vous !**
> Dans un récit d'apprentissage, un personnage jeune est soumis
> à des épreuves et rencontre des obstacles qui vont transformer
> sa personnalité, le faisant cheminer de l'adolescence vers l'âge
> adulte. Lullaby, à la fin de la nouvelle, a acquis une certaine
> forme de maturité après avoir surmonté des obstacles
> physiques (le parcours vers la maison en ciment) et humains
> (la rencontre de l'homme menaçant).

De la lecture à l'écriture

Des mots pour mieux écrire

❶ **Complétez chacune des phrases suivantes avec le nom qui convient et accordez-le si nécessaire :** villa, bunker, forteresse, péristyle, ruine, édifice.

a. Tout le long de la côte, on peut encore voir des traces de la dernière guerre : trous d'obus, _____, barbelés.

b. Au XVIIe siècle, Vauban construisit de magnifiques _____ qui ont été reconnues patrimoine mondial par l'Unesco en 2008.

c. Quand on survole Nice en avion, on est frappé de voir toutes ces _____ avec piscine.

d. La maison que nous avons visitée hier est dans un très mauvais état, c'est une véritable _____.

e. Les cloîtres médiévaux présentent souvent de riches _____ : les chapiteaux des colonnes sont sculptés avec beaucoup de grâce.

f. Sous le règne de Louis XIV, on a construit de nombreux arcs de triomphe, _____ érigés pour célébrer la grandeur du roi.

❷ Reliez chaque mot ou groupe de mots à l'élément naturel auquel il se rattache (air, eau, feu, terre).

L'écume　　　　　•

Une sterne　　　•　　　　　　　•　Air

Escarpé　　　　　•

Se réverbérer　•　　　　　　　•　Eau

Les embruns　　•

Une paroi　　　　•　　　　　　　•　Feu

Une étincelle　•

Les rafales　　　•　　　　　　　•　Terre

À vous d'écrire

❶ Lullaby écrit une troisième lettre à son père pour lui raconter son escapade et lui annoncer qu'elle retourne au lycée.
Consigne. Vous utiliserez le vocabulaire des quatre éléments pour insister sur la plénitude de l'expérience qu'elle a vécue. Vous dresserez le bilan de cette aventure en insistant sur ce que Lullaby a appris.

❷ Un an plus tard, Lullaby revient voir la maison grecque. Racontez la promenade qui la ramène dans cette maison.
Consigne. Vous insisterez sur les sentiments de Lullaby, ses raisons de revenir dans cet endroit, ce qu'elle en attend, et ses réactions (est-elle déçue? est-elle heureuse de se retrouver là?) Vous rédigerez votre récit à la première personne et emploierez le présent, le passé composé et l'imparfait.

Du texte à l'image

➡ André Roberty, *Le Golfe de Saint-Tropez*, huile sur toile, 1935.
(Image reproduite en couverture.)

👁 Lire l'image

❶ Décrivez le paysage représenté plan par plan.

❷ Où se situe celui qui voit la scène? Comment appelle-t-on cet angle de vue?

❸ À quoi reconnaît-on que c'est un paysage du Sud de la France?

📖 Comparer le texte et l'image

❹ Pensez-vous que Lullaby pourrait se sentir aussi bien dans l'une de ces maisons que dans la maison grecque? Pourquoi?

❺ Pourquoi cette illustration a-t-elle été choisie comme couverture à votre avis? À quelle(s) autre(s) nouvelle(s) du recueil aurait-elle pu servir d'illustration?

✎ À vous de créer

❻ **B2i** Sur Internet, cherchez d'autres représentations picturales du Sud de la France, des paysages de l'Estaque notamment (des tableaux de Cézanne, Derain, Gauguin ou Braque par exemple) et présentez-les à vos camarades.

❼ D'une des maisons représentées sort une vieille femme. Imaginez sa rencontre avec Lullaby et leur dialogue.

Du texte à l'image

Saisir l'image

Comparer le texte et l'image

À vous de créer

Celui qui n'avait jamais vu la mer

Il s'appelait Daniel, mais il aurait bien aimé s'appeler Sindbad[1],
parce qu'il avait lu ses aventures dans un gros livre relié en rouge
qu'il portait toujours avec lui, en classe et dans le dortoir. En fait,
je crois qu'il n'avait jamais lu que ce livre-là. Il n'en parlait pas,
sauf quelquefois quand on lui demandait. Alors ses yeux noirs
brillaient plus fort, et son visage en lame de couteau[2] semblait
s'animer tout à coup. Mais c'était un garçon qui ne parlait pas
beaucoup. Il ne se mêlait pas aux conversations des autres, sauf
quand il était question de la mer, ou de voyages. La plupart des
hommes sont des terriens, c'est comme cela. Ils sont nés sur la
terre, et c'est la terre et les choses de la terre qui les intéressent.
Même les marins sont souvent des gens de la terre ; ils aiment les
maisons et les femmes, ils parlent de politique et de voitures. Mais
lui, Daniel, c'était comme s'il était d'une autre race. Les choses
de la terre l'ennuyaient, les magasins, les voitures, la musique,
les films et naturellement les cours du Lycée. Il ne disait rien,
il ne bâillait même pas pour montrer son ennui. Mais il restait
sur place, assis sur un banc, ou bien sur les marches de l'escalier,
devant le préau, à regarder dans le vide. C'était un élève médio-
cre, qui réunissait chaque trimestre juste ce qu'il fallait de points
pour subsister. Quand un professeur prononçait son nom, il se
levait et récitait sa leçon, puis il se rasseyait et c'était fini. C'était
comme s'il dormait les yeux ouverts.

---

1. Sindbad : dans les *Mille et Une Nuits*, marin qui a connu des aventures
extraordinaires sur mer.
2. Visage en lame de couteau : visage fin et très allongé.

Même quand on parlait de la mer, ça ne l'intéressait pas longtemps.
25 Il écoutait un moment, il demandait deux ou trois choses, puis il
s'apercevait que ce n'était pas vraiment de la mer qu'on parlait,
mais des bains, de la pêche sous-marine, des plages et des coups
de soleil. Alors il s'en allait, il retournait s'asseoir sur son banc ou
sur ses marches d'escalier, à regarder dans le vide. Ce n'était pas
30 de cette mer-là qu'il voulait entendre parler. C'était d'une autre
mer, on ne savait pas laquelle, mais d'une autre mer.

Ça, c'était avant qu'il disparaisse, avant qu'il s'en aille. Personne
n'aurait imaginé qu'il partirait un jour, je veux dire *vraiment*, sans
revenir. Il était très pauvre, son père avait une petite exploitation
35 agricole à quelques kilomètres de la ville, et Daniel était habillé
du tablier gris des pensionnaires, parce que sa famille habitait
trop loin pour qu'il puisse rentrer chez lui chaque soir. Il avait
trois ou quatre frères plus âgés qu'on ne connaissait pas.

Il n'avait pas d'amis, il ne connaissait personne et personne ne
40 le connaissait. Peut-être qu'il préférait que ce soit ainsi, pour ne
pas être lié. Il avait un drôle de visage aigu en lame de couteau,
et de beaux yeux noirs indifférents.

Il n'avait rien dit à personne. Mais il avait déjà tout préparé
à ce moment-là, c'est certain. Il avait tout préparé dans sa tête,
45 en se souvenant des routes et des cartes, et des noms des villes
qu'il allait traverser. Peut-être qu'il avait rêvé à beaucoup de
choses, jour après jour, et chaque nuit, couché dans son lit dans
le dortoir, pendant que les autres plaisantaient et fumaient des
cigarettes en cachette. Il avait pensé aux rivières qui descendent
50 doucement vers leurs estuaires, aux cris des mouettes, au vent,
aux orages qui sifflent dans les mâts des bateaux et aux sirènes
des balises.

C'est au début de l'hiver qu'il est parti, vers le milieu du mois
de septembre. Quand les pensionnaires se sont réveillés, dans
55 le grand dortoir gris, il avait disparu. On s'en est aperçu tout de
suite, dès qu'on a ouvert les yeux, parce que son lit n'était pas
défait. Les couvertures étaient tirées avec soin, et tout était en

ordre. Alors on a dit seulement: «Tiens! Daniel est parti!» sans
être vraiment étonnés parce qu'on savait tout de même un peu
que cela arriverait. Mais personne n'a rien dit d'autre, parce
qu'on ne voulait pas qu'ils le reprennent.

Même les plus bavards des élèves du cours moyen n'ont rien
dit. De toute façon, qu'est-ce qu'on aurait pu dire? On ne savait
rien. Pendant longtemps, on chuchotait, dans la cour, ou bien
pendant le cours de français, mais ce n'étaient que des bouts de
phrase dont le sens n'était connu que de nous.

«Tu crois qu'il est arrivé maintenant?»

«Tu crois? Pas encore, c'est loin, tu sais...»

«Demain?»

«Oui, peut-être...»

Les plus audacieux disaient:

«Peut-être qu'il est en Amérique, déjà...»

Et les pessimistes:

«Bah, peut-être qu'il va revenir aujourd'hui.»

Mais si nous, nous nous taisions, par contre en haut lieu l'affaire
faisait du bruit. Les professeurs et les surveillants étaient convoqués
régulièrement dans le bureau du Proviseur, et même à la police.
De temps en temps les inspecteurs venaient et ils interrogeaient
les élèves un à un pour essayer de leur tirer les vers du nez.

Naturellement, nous, nous parlions de tout sauf de ce qu'on
savait, d'elle, de la mer. On parlait de montagnes, de villes, de
filles, de trésors, même de romanichels[1] enleveurs d'enfants et
de légion étrangère. On disait ça pour brouiller les pistes, et les
professeurs et les surveillants étaient de plus en plus énervés et
ça les rendait méchants.

Le grand bruit a duré plusieurs semaines, plusieurs mois. Il y
a eu deux ou trois avis de recherche dans les journaux, avec le
signalement de Daniel et une photo qui ne lui ressemblait pas.
Puis tout s'est calmé d'un seul coup, car nous étions tous un peu

---

1. Romanichels : tziganes, bohémiens.

90 fatigués de cette histoire. Peut-être qu'on avait tous compris qu'il
ne reviendrait pas, jamais.

Les parents de Daniel se sont consolés, parce qu'ils étaient très
pauvres et qu'il n'y avait rien d'autre à faire. Les policiers ont
classé l'affaire, c'est ce qu'ils ont dit eux-mêmes, et ils ont ajouté
95 quelque chose que les professeurs et les surveillants ont répété,
comme si c'était normal, et qui nous a paru, à nous autres, bien
extraordinaire. Ils ont dit qu'il y avait comme cela, chaque année,
des dizaines de milliers de personnes qui disparaissaient sans
laisser de traces, et qu'on ne retrouvait jamais. Les professeurs
100 et les surveillants répétaient cette petite phrase, en haussant les
épaules, comme si c'était la chose la plus banale du monde,
mais nous, quand on l'a entendue, cela nous a fait rêver, cela a
commencé au fond de nous-mêmes un rêve secret et envoûtant
qui n'est pas encore terminé.

105 Quand Daniel est arrivé, c'était sûrement la nuit, à bord d'un
long train de marchandises qui avait roulé jour et nuit pendant
longtemps. Les trains de marchandises circulent surtout la nuit,
parce qu'ils sont très longs et qu'ils vont très lentement, d'un
nœud ferroviaire[1] à l'autre. Daniel était couché sur le plancher
110 dur, enroulé dans un vieux morceau de toile à sac. Il regardait
à travers la porte à claires-voies, tandis que le train ralentissait et
s'arrêtait en grinçant le long des docks[2]. Daniel avait ouvert la
porte, il avait sauté sur la voie, et il avait couru le long du talus,
jusqu'à ce qu'il trouve un passage. Il n'avait pas de bagages, juste
115 un sac de plage bleu marine qu'il portait toujours avec lui, et
dans lequel il avait mis son vieux livre rouge.

Maintenant, il était libre, et il avait froid. Ses jambes lui faisaient mal, après toutes ces heures passées dans le wagon. Il
faisait nuit, il pleuvait. Daniel marchait le plus vite qu'il pouvait

---

1. Nœud ferroviaire : point de contact de plusieurs lignes de chemin de fer.
2. Docks : hangars où sont stockées les marchandises.

120 pour s'éloigner de la ville. Il ne savait pas où il allait. Il marchait droit devant lui, entre les murs des hangars, sur la route qui brillait à la lumière jaune des réverbères. Il n'y avait personne ici, et pas de noms écrits sur les murs. Mais la mer n'était pas loin. Daniel la devinait quelque part sur la droite, cachée par
125 les grandes bâtisses de ciment, de l'autre côté des murs. Elle était dans la nuit.

Au bout d'un moment, Daniel se sentit fatigué de marcher. Il était arrivé dans la campagne, maintenant, et la ville brillait loin derrière lui. La nuit était noire, et la terre et la mer étaient
130 invisibles. Daniel chercha un endroit pour s'abriter de la pluie et du vent, et il entra dans une cabane de planches, au bord de la route. C'est là qu'il s'est installé pour dormir jusqu'au matin. Cela faisait plusieurs jours qu'il n'avait pas dormi, et pour ainsi dire pas mangé, parce qu'il guettait tout le temps à travers la porte
135 du wagon. Il savait qu'il ne devait pas rencontrer de policiers. Alors il s'est caché bien au fond de la cabane de planches, il a grignoté un peu de pain et il s'est endormi.

Quand il se réveilla, le soleil était déjà dans le ciel. Daniel est sorti de la cabane, il a fait quelques pas en clignant les yeux. Il
140 y avait un chemin qui conduisait jusqu'aux dunes, et c'est là que Daniel se mit à marcher. Son cœur battait plus fort, parce qu'il savait que c'était de l'autre côté des dunes, à deux cents mètres à peine. Il courait sur le chemin, il escaladait la pente de sable, et le vent soufflait de plus en plus fort, apportant le bruit
145 et l'odeur inconnus. Puis, il est arrivé au sommet de la dune, et d'un seul coup, il l'a vue.

Elle était là, partout, devant lui, immense, gonflée comme la pente d'une montagne, brillant de sa couleur bleue, profonde, toute proche, avec ses vagues hautes qui avançaient vers lui.
150 «La mer! La mer!» pensait Daniel, mais il n'osa rien dire à voix haute. Il restait sans pouvoir bouger, les doigts un peu écartés, et il n'arrivait pas à réaliser qu'il avait dormi à côté d'elle. Il entendait le bruit lent des vagues qui se mouvaient sur la plage.

Il n'y avait plus de vent, tout à coup, et le soleil luisait sur la mer,
155 allumait un feu sur chaque crête de vague. Le sable de la plage
était couleur de cendres, lisse, traversé de ruisseaux et couvert
de larges flaques qui reflétaient le ciel.

Au fond de lui-même, Daniel a répété le beau nom plusieurs
fois, comme cela,
160 « La mer, la mer, la mer… »
la tête pleine de bruit et de vertige. Il avait envie de parler, de
crier même, mais sa gorge ne laissait pas passer sa voix. Alors il
fallait qu'il parte en criant, en jetant très loin son sac bleu qui
roula dans le sable, il fallait qu'il parte en agitant ses bras et ses
165 jambes comme quelqu'un qui traverse une autoroute. Il bondissait par-dessus les bandes de varech[1], il titubait dans le sable sec
du haut de la plage. Il ôtait ses chaussures et ses chaussettes, et
pieds nus, il courait encore plus vite, sans sentir les épines des
chardons.
170 La mer était loin, à l'autre bout de la plaine de sable. Elle
brillait dans la lumière, elle changeait de couleur et d'aspect,
étendue bleue, puis grise, verte, presque noire, bancs de sable
ocre, ourlets blancs des vagues. Daniel ne savait pas qu'elle était
si loin. Il continuait à courir, les bras serrés contre son corps, le
175 cœur cognant de toutes ses forces dans sa poitrine. Maintenant
il sentait le sable dur comme l'asphalte[2], humide et froid sous ses
pieds. À mesure qu'il s'approchait, le bruit des vagues grandissait,
emplissait tout comme un sifflement de vapeur. C'était un bruit
très doux et très lent, puis violent et inquiétant comme les trains
180 sur les ponts de fer, ou bien qui fuyait en arrière comme l'eau
des fleuves. Mais Daniel n'avait pas peur. Il continuait à courir le
plus vite qu'il pouvait, droit dans l'air froid, sans regarder ailleurs.
Quand il ne fut plus qu'à quelques mètres de la frange d'écume,
il sentit l'odeur des profondeurs et il s'arrêta. Un point de côté

---

1. Varech : algue.
2. Asphalte : goudron dont on recouvre les routes.

185 brûlait son aine[1], et l'odeur puissante de l'eau salée l'empêchait de reprendre son souffle.

Il s'assit sur le sable mouillé, et il regarda la mer monter devant lui presque jusqu'au centre du ciel. Il avait tellement pensé à cet instant-là, il avait tellement imaginé le jour où il la verrait enfin,
190 réellement, pas comme sur les photos ou comme au cinéma, mais vraiment, la mer tout entière, exposée autour de lui, gonflée, avec les gros dos des vagues qui se précipitent et déferlent, les nuages d'écume, les pluies d'embrun en poussière dans la lumière du soleil, et surtout, au loin, cet horizon courbe comme un mur
195 devant le ciel ! Il avait tellement désiré cet instant-là qu'il n'avait plus de forces, comme s'il allait mourir, ou bien s'endormir.

C'était bien la mer, sa mer, pour lui seul maintenant, et il savait qu'il ne pourrait plus jamais s'en aller. Daniel resta longtemps couché sur le sable dur, il attendit si longtemps, étendu sur le
200 côté, que la mer commença à monter le long de la pente et vint toucher ses pieds nus.

C'était la marée. Daniel bondit sur ses pieds, tous ses muscles tendus pour la fuite. Au loin, sur les brisants noirs, les vagues déferlèrent avec un bruit de tonnerre. Mais l'eau n'avait pas
205 encore de forces. Elle se brisait, bouillonnait au bas de la plage, elle n'arrivait qu'en rampant. L'écume légère entourait les jambes de Daniel, creusait des puits autour de ses talons. L'eau froide mordit d'abord ses orteils et ses chevilles, puis les insensibilisa.

En même temps que la marée, le vent arriva. Il souffla du fond
210 de l'horizon, il y eut des nuages dans le ciel. Mais c'étaient des nuages inconnus, pareils à l'écume de la mer, et le sel voyageait dans le vent comme des grains de sable. Daniel ne pensait plus à fuir. Il se mit à marcher le long de la mer dans la frange de l'écume. À chaque vague, il sentait le sable filer entre ses orteils
215 écartés puis revenir. L'horizon, au loin, se gonflait et s'abaissait comme une respiration, lançait ses poussées vers la terre.

---

1. Aine : partie du corps entre le haut de la cuisse et le bas-ventre.

Daniel avait soif. Dans le creux de sa main, il prit un peu d'eau et d'écume et il but une gorgée. Le sel brûla sa bouche et sa langue, mais Daniel continua à boire, parce qu'il aimait le goût
220 de la mer. Il y avait si longtemps qu'il pensait à toute cette eau, libre, sans frontières, toute cette eau qu'on pouvait boire pendant toute sa vie ! Sur le rivage, la dernière marée avait rejeté des morceaux de bois et des racines pareils à de grands ossements. Maintenant l'eau les reprenait lentement, les déposait un peu
225 plus haut, les mélangeait aux grandes algues noires.

Daniel marchait au bord de l'eau, et il regardait tout avidement, comme s'il voulait savoir en un instant tout ce que la mer pouvait lui montrer. Il prenait dans ses mains les algues visqueuses, les morceaux de coquilles, il creusait dans la vase le
230 long des galeries des vers, il cherchait partout, en marchant, ou bien à quatre pattes dans le sable mouillé. Le soleil était dur et fort dans le ciel, et la mer grondait sans arrêt.

De temps en temps, Daniel s'arrêtait, face à l'horizon, et il regardait les hautes vagues qui cherchaient à passer par-dessus les
235 brisants. Il respirait de toutes ses forces, pour sentir le souffle, et c'était comme si la mer et l'horizon gonflaient ses poumons, son ventre, sa tête, et qu'il devenait une sorte de géant. Il regardait l'eau sombre, au loin, là où il n'y avait pas de terre ni d'écume mais seulement le ciel libre, et c'était à elle qu'il parlait, à voix
240 basse, comme si elle avait pu l'entendre ; il disait :

« Viens ! Monte jusqu'ici, arrive ! Viens ! »

« Tu es belle, tu vas venir et tu vas recouvrir toute la terre, toutes les villes, tu vas monter jusqu'en haut des montagnes ! »

« Viens, avec tes vagues, monte, monte ! Par ici, par ici ! »
245 Puis il reculait, pas à pas, vers le haut de la plage.

Il apprit comme cela le cheminement de l'eau qui monte, qui se gonfle, qui se répand comme des mains le long des petites vallées de sable. Les crabes gris couraient devant lui, leurs pinces levées, légers comme des insectes. L'eau blanche emplissait
250 les trous mystérieux, noyait les galeries secrètes. Elle montait,

un peu plus haut à chaque vague, elle élargissait ses nappes mouvantes. Daniel dansait devant elle, comme les crabes gris, il courait un peu de travers en levant les bras et l'eau venait mordre ses talons. Puis il redescendait, il creusait des tranchées dans le
255 sable pour qu'elle monte plus vite, et il chantonnait ses paroles pour l'aider à venir :

«Allez, monte, allez, vagues, montez plus haut, venez plus haut, allez ! »

Il était dans l'eau jusqu'à la ceinture, maintenant, mais il ne
260 sentait pas le froid, il n'avait pas peur. Ses habits trempés collaient à sa peau, ses cheveux tombaient devant ses yeux comme des algues. La mer bouillonnait autour de lui, se retirait avec tant de puissance qu'il devait s'agripper au sable pour ne pas tomber à la renverse, puis s'élançait à nouveau et le poussait vers le haut
265 de la plage.

Les algues mortes fouettaient ses jambes, s'enlaçaient à ses chevilles. Daniel les arrachait comme des serpents, les jetait dans la mer en criant :

«Arrh ! Arrh ! »
270 Il ne regardait pas le soleil, ni le ciel. Il ne voyait même plus la bande lointaine de la terre, ni les silhouettes des arbres. Il n'y avait personne ici, personne d'autre que la mer, et Daniel était libre.

Tout à coup, la mer se mit à monter plus vite. Elle s'était gon-
275 flée au-dessus des brisants, et maintenant les vagues arrivaient du large, sans rien qui les retienne. Elles étaient hautes et larges, un peu de biais, avec leur crête qui fumait et leur ventre bleu sombre qui se creusait sous elles, bordé d'écume. Elles arrivè-rent si vite que Daniel n'eut pas le temps de se mettre à l'abri. Il
280 tourna le dos pour fuir, et la vague le toucha aux épaules, passa par-dessus sa tête. Instinctivement, Daniel accrocha ses ongles au sable et cessa de respirer. L'eau tomba sur lui avec un bruit de tonnerre, tourbillonnant, pénétrant ses yeux, ses oreilles, sa bouche, ses narines.

285   Daniel rampa vers le sable sec, en faisant de grands efforts. Il
était si étourdi qu'il resta un moment couché à plat ventre dans
la frange d'écume, sans pouvoir bouger. Mais les autres vagues
arrivaient, en grondant. Elles levaient encore plus haut leurs
crêtes et leurs ventres se creusaient comme des grottes. Alors
290   Daniel courut vers le haut de la plage, et il s'assit dans le sable
des dunes, de l'autre côté de la barrière de varech. Pendant le
reste de la journée, il ne s'approcha plus de la mer. Mais son
corps tremblait encore, et il avait sur toute sa peau, et même à
l'intérieur, le goût brûlant du sel, et au fond de ses yeux la tache
295   éblouie des vagues.

        À l'autre bout de la baie il y avait un cap noir, creusé de grottes.
C'est là que Daniel vécut, les premiers jours, quand il est arrivé
devant la mer. Sa grotte, c'était une petite anfractuosité[1] dans
les rochers noirs, tapissée de galets et de sable gris. C'est là que
300   Daniel vécut, pendant tous ces jours, pour ainsi dire sans jamais
quitter la mer des yeux.
        Quand la lumière du soleil apparaissait, très pâle et grise, et
que l'horizon était à peine visible comme un fil dans les couleurs mêlées du ciel et de la mer, Daniel se levait et il sortait de
305   la grotte. Il grimpait en haut des rochers noirs pour boire l'eau
de pluie dans les flaques. Les grands oiseaux de mer venaient
là aussi, ils volaient autour de lui en poussant leurs longs cris
grinçants, et Daniel les saluait en sifflant. Le matin, quand la mer
était basse, les fonds mystérieux étaient découverts. Il y avait de
310   grandes mares d'eau sombre, des torrents qui cascadaient entre
les pierres, des chemins glissants, des collines d'algues vivantes.
Alors Daniel quittait le cap et il descendait le long des rochers
jusqu'au centre de la plaine découverte par la mer. C'était comme
s'il arrivait au centre même de la mer, dans un pays étrange, qui
315   n'existait que quelques heures.

---

1. Anfractuosité : creux.

Il fallait se dépêcher. La frange noire des brisants était toute proche, et Daniel entendait les vagues gronder à voix basse, et les courants profonds qui murmuraient. Ici, le soleil ne brillait pas longtemps. La mer reviendrait bientôt les couvrir de son ombre,
320 et la lumière se réverbérait sur eux avec violence, sans parvenir à les réchauffer. La mer montrait quelques secrets, mais il fallait les apprendre vite, avant qu'ils ne disparaissent. Daniel courait sur les rochers du fond de la mer, entre les forêts des algues. L'odeur puissante montait des mares et des vallées noires, l'odeur que
325 les hommes ne connaissent pas et qui les enivre.

Dans les grandes flaques, tout près de la mer, Daniel cherchait les poissons, les crevettes, les coquillages. Il plongeait ses bras dans l'eau, entre les touffes d'algues, et il attendait que les crustacés viennent chatouiller le bout de ses doigts ; alors il les attrapait.
330 Dans les flaques, les anémones de mer, violettes, grises, rouge sang ouvraient et fermaient leurs corolles.

Sur les rochers plats vivaient les patelles blanches et bleues, les nasses orange, les mitres, les arches, les tellines[1]. Dans les creux des mares, quelquefois, la lumière brillait sur le dos large
335 des tonnes, ou sur la nacre couleur d'opale[2] d'une natice. Ou bien, soudain, entre les feuilles d'algues apparaissait la coquille vide irisée comme un nuage d'un vieil ormeau, la lame d'un couteau, la forme parfaite d'une coquille Saint-Jacques. Daniel les regardait, longtemps, là où elles étaient, à travers la vitre de
340 l'eau, et c'était comme s'il vivait dans la flaque lui aussi, au fond d'une crevasse minuscule, ébloui par le soleil et attendant la nuit de la mer.

Pour manger, il chassait les patelles. Il fallait s'approcher d'elles sans faire de bruit, pour qu'elles ne se soudent pas à la pierre. Puis
345 les décoller d'un coup de pied, en frappant avec le bout du gros

---

1. Patelles, nasses, mitres, arches, tellines, tonnes, natice, ormeau : coquillages que l'on trouve sur les plages de l'Atlantique.
2. Couleur d'opale : d'un blanc laiteux.

orteil. Mais souvent les patelles entendaient le bruit de ses pas, ou le chuintement de sa respiration, et elles se collaient contre les rochers plats, en faisant une série de claquements. Quand Daniel avait pris suffisamment de crevettes et de coquillages, il
350 déposait sa pêche dans une petite flaque, au creux d'un rocher, pour la faire cuire plus tard dans une boîte de conserve sur un feu de varech. Puis il allait voir plus loin, tout à fait à l'extrémité de la plaine du fond de la mer, là où les vagues déferlaient. Car c'était là que vivait son ami poulpe.

355 C'était lui que Daniel avait connu tout de suite, le premier jour où il était arrivé devant la mer, avant même de connaître les oiseaux de mer et les anémones. Il était venu jusqu'au bord des vagues qui déferlent en tombant sur elles-mêmes, quand la mer et l'horizon ne bougent plus, ne se gonflent plus, et que les grands
360 courants sombres semblent se retenir avant de bondir. C'était l'endroit le plus secret du monde, sans doute, là où la lumière du jour ne brille que pendant quelques minutes. Daniel avait marché très doucement, en se retenant aux parois des roches glissantes, comme s'il descendait vers le centre de la terre. Il avait
365 vu la grande mare aux eaux lourdes, où bougeaient lentement les algues longues, et il était resté immobile, le visage touchant presque la surface. Alors il avait vu les tentacules du poulpe qui flottaient devant les parois de la mare. Ils sortaient d'une faille, tout près du fond, pareils à de la fumée, et ils glissaient douce-
370 ment sur les algues. Daniel avait retenu son souffle, regardant les tentacules qui bougeaient à peine, mêlés aux filaments des algues.

Puis le poulpe était sorti. Le long corps cylindrique bougeait avec précaution, ses tentacules ondulant devant lui. Dans la
375 lumière brisée du soleil éphémère, les yeux jaunes du poulpe brillaient comme du métal sous les sourcils proéminents. Le poulpe avait laissé flotter un instant ses longs tentacules aux disques violacés, comme s'il cherchait quelque chose. Puis il avait vu l'ombre de Daniel penchée au-dessus de la mare, et il

380 avait bondi en arrière, en serrant ses tentacules et en lâchant un
drôle de nuage gris-bleu.

Maintenant, comme chaque jour, Daniel arrivait au bord de
la mare, tout près des vagues. Il se pencha au-dessus de l'eau
transparente, et il appela doucement le poulpe. Il s'assit sur le
385 rocher en laissant ses jambes nues plonger dans l'eau, devant la
faille où habitait le poulpe, et il attendit, sans bouger. Au bout
d'un moment, il sentit les tentacules qui touchaient légèrement
sa peau, qui s'enroulaient autour de ses chevilles. Le poulpe le
caressait avec précaution, quelquefois entre les orteils et sous la
390 plante des pieds, et Daniel se mettait à rire.

«Bonjour Wiatt», dit Daniel. Le poulpe s'appelait Wiatt, mais
il ne savait pas son nom, bien sûr. Daniel lui parlait à voix basse,
pour ne pas l'effrayer. Il lui posait des questions sur ce qui se
passe au fond de la mer, sur ce qu'on voit quand on est en
395 dessous des vagues. Wiatt ne répondait pas, mais il continuait
à caresser les pieds et les chevilles de Daniel, très doucement,
comme avec des cheveux.

Daniel l'aimait bien. Il ne pouvait jamais le voir très longtemps, parce que la mer montait vite. Quand la pêche avait été
400 bonne, Daniel lui apportait un crabe, ou des crevettes, qu'il
lâchait dans la mare. Les tentacules gris jaillissaient comme des
fouets, saisissaient les proies et les ramenait vers le rocher. Daniel
ne voyait jamais le poulpe manger. Il restait presque toujours
caché dans sa faille noire, immobile, avec ses longs tentacules
405 qui flottaient devant lui. Peut-être qu'il était comme Daniel,
peut-être qu'il avait voyagé longtemps pour trouver sa maison
au fond de la mare, et qu'il regardait le ciel clair à travers l'eau
transparente.

Lorsque la mer était tout à fait basse, il y avait comme une
410 illumination. Daniel marchait au milieu des rochers, sur les tapis
d'algues, et le soleil commençait à se réverbérer sur l'eau et sur
les pierres, allumait des feux pleins de violence. Il n'y avait pas
de vent à ce moment-là, pas un souffle. Au-dessus de la plaine

du fond de la mer, le ciel bleu était très grand, il brillait d'une
415 lumière exceptionnelle. Daniel sentait la chaleur sur sa tête
et sur ses épaules, il fermait les yeux pour ne pas être aveuglé
par le miroitement terrible. Il n'y avait rien d'autre alors, rien
d'autre : le ciel, le soleil, le sel, qui commençaient à danser sur
les rochers.

420   Un jour où la mer était descendue si loin qu'on ne voyait plus
qu'un mince liséré bleu, vers l'horizon, Daniel se mit en route
à travers les rochers du fond de la mer. Il sentit tout à coup
l'ivresse de ceux qui sont entrés sur une terre vierge, et qui savent
qu'ils ne pourront peut-être pas revenir. Il n'y avait plus rien de
425 semblable, ce jour-là ; tout était inconnu, nouveau. Daniel se
retourna et il vit la terre ferme loin derrière lui, pareille à un
lac de boue. Il sentit aussi la solitude, le silence des rochers nus
usés par l'eau de la mer, l'inquiétude qui sortait de toutes les
fissures, de tous les puits secrets, et il se mit à marcher plus vite,
430 puis à courir. Son cœur battait fort dans sa poitrine, comme le
premier jour où il était arrivé devant la mer. Daniel courait sans
reprendre haleine, bondissait par-dessus les mares et les vallées
d'algues, suivait les arêtes rocheuses en écartant les bras pour
garder son équilibre.

435   Il y avait parfois de larges dalles gluantes, couvertes d'algues
microscopiques, ou bien des rocs aigus comme des lames, d'étranges pierres qui ressemblaient à des peaux de squale[1]. Partout, les
flaques d'eau étincelaient, frissonnaient. Les coquillages incrustés dans les roches crépitaient au soleil, les rouleaux d'algues
440 faisaient un drôle de bruit de vapeur.

     Daniel courait sans savoir où il allait, au milieu de la plaine du
fond de la mer, sans s'arrêter pour voir la limite des vagues. La
mer avait disparu maintenant, elle s'était retirée jusqu'à l'horizon
comme si elle avait coulé par un trou qui communiquait avec
445 le centre de la terre.

---

1. **Squale** : poisson proche du requin.

Daniel n'avait pas peur, mais il n'était plus tout à fait lui-même. Il n'appelait pas la mer, il ne lui parlait plus. La lumière du soleil se réverbérait sur l'eau des flaques comme sur des miroirs, elle se brisait sur les pointes des rochers, elle faisait des bonds rapides, elle multipliait ses éclairs. La lumière était partout à la fois, si proche qu'il sentait sur son visage le passage des rayons durcis, ou bien très loin, pareille à l'étincelle froide des planètes. C'était à cause d'elle que Daniel courait en zigzag à travers la plaine des rochers. La lumière l'avait rendu libre et fou, et il bondissait comme elle, sans voir. La lumière n'était pas douce et tranquille, comme celle des plages et des dunes. C'était un tourbillon insensé qui jaillissait sans cesse, rebondissait entre les deux miroirs du ciel et des rochers.

Surtout, il y avait le sel. Depuis des jours, il s'était accumulé partout sur les pierres noires, sur les galets, dans les coquilles des mollusques et même sur les petites feuilles pâles des plantes grasses, au pied de la falaise. Le sel avait pénétré la peau de Daniel, s'était déposé sur ses lèvres, dans ses sourcils et ses cils, dans ses cheveux et ses vêtements, et maintenant cela faisait une carapace dure qui brûlait. Le sel était même entré à l'intérieur de son corps, dans sa gorge, dans son ventre, jusqu'au centre de ses os, il rongeait et crissait comme une poussière de verre, il allumait des étincelles sur ses rétines douloureuses. La lumière du soleil avait enflammé le sel, et maintenant chaque prisme scintillait autour de Daniel et dans son corps. Alors il y avait cette sorte d'ivresse, cette électricité qui vibrait, parce que le sel et la lumière ne voulaient pas qu'on reste en place ; ils voulaient qu'on danse et qu'on coure, qu'on saute d'un rocher à l'autre, ils voulaient qu'on fuie à travers le fond de la mer.

Daniel n'avait jamais vu tant de blancheur. Même l'eau des mares, même le ciel étaient blancs. Ils brûlaient les rétines. Daniel ferma les yeux tout à fait et il s'arrêta, parce que ses jambes tremblaient et ne pouvaient plus le porter. Il s'assit sur un rocher plat, devant un lac d'eau de mer. Il écouta le bruit de la lumière

480 qui bondissait sur les roches, tous les craquements secs, les claquements, les chuintements, et, près de ses oreilles, le murmure
aigu pareil au chant des abeilles. Il avait soif, mais c'était comme
si aucune eau ne pourrait le rassasier jamais. La lumière continuait à brûler son visage, ses mains, ses épaules, elle mordait
485 avec des milliers de picotements, de fourmillements. Les larmes
salées se mirent à couler de ses yeux fermés, lentement, traçant
des sillons chauds sur ses joues. Entrouvrant ses paupières avec
effort, il regarda la plaine des roches blanches, le grand désert
où brillaient les mares d'eau cruelle. Les animaux marins et les
490 coquillages avaient disparu, ils s'étaient cachés dans les failles,
sous les rideaux des algues.

Daniel se pencha en avant sur le rocher plat, et il mit sa chemise
sur sa tête, pour ne plus voir la lumière et le sel. Il resta longtemps
immobile, la tête entre ses genoux, tandis que la danse brûlante
495 passait et repassait sur le fond de la mer.

Puis le vent est venu, faible d'abord, qui marchait avec peine
dans l'air épais. Le vent grandit, le vent froid sorti de l'horizon,
et les mares d'eau de mer frémissaient et changeaient de couleur.
Le ciel eut des nuages, la lumière redevint cohérente. Daniel
500 entendit le grondement de la mer proche, les grandes vagues
qui frappaient leurs ventres sur les rochers. Des gouttes d'eau
mouillèrent ses habits et il sortit de sa torpeur.

La mer était là, déjà. Elle venait très vite, elle entourait avec
hâte les premiers rochers comme des îles, elle noyait les crevasses,
505 elle glissait avec un bruit de rivière en crue. Chaque fois qu'elle
avait englouti un morceau de roche, il y avait un bruit sourd qui
ébranlait le socle de la terre, et un rugissement dans l'air.

Daniel se leva d'un bond. Il se mit à courir vers le rivage sans
s'arrêter. Maintenant il n'avait plus sommeil, il ne craignait plus
510 la lumière et le sel. Il sentait une sorte de colère au fond de son
corps, une force qu'il ne comprenait pas, comme s'il avait pu
briser les rochers et creuser les fissures, comme cela, d'un seul
coup de talon. Il courait au-devant de la mer, en suivant la route

du vent, et il entendait derrière lui le rugissement des vagues.
515 De temps en temps, il criait, lui aussi, pour les imiter :
« Ram ! Ram ! »
car c'était lui qui commandait la mer.

Il fallait courir vite ! La mer voulait tout prendre, les rochers, les algues, et aussi celui qui courait devant elle. Parfois elle lan-
520 çait un bras, à gauche, ou à droite, un long bras gris et taché d'écume qui coupait la route de Daniel. Il faisait un bond de côté, il cherchait un passage au sommet des roches, et l'eau se retirait en suçant les trous des crevasses.

Daniel traversa plusieurs lacs déjà troubles, en nageant. Il ne
525 sentait plus la fatigue. Au contraire, il y avait une sorte de joie en lui, comme si la mer, le vent et le soleil avaient dissous le sel et l'avaient libéré.

La mer était belle ! Les gerbes blanches fusaient dans la lumière, très haut et très droit, puis retombaient en nuages de vapeur qui
530 glissaient dans le vent. L'eau nouvelle emplissait les creux des roches, lavait la croûte blanche, arrachait les touffes d'algues. Loin, près des falaises, la route blanche de la plage brillait. Daniel pensait au naufrage de Sindbad, quand il avait été porté par les vagues jusqu'à l'île du roi Mihrage[1], et c'était tout à fait comme
535 cela, maintenant. Il courait vite sur les rochers, ses pieds nus choisissaient les meilleurs passages, sans même qu'il ait eu le temps d'y penser. Sans doute il avait vécu ici depuis toujours, sur la plaine du fond de la mer, au milieu des naufrages et des tempêtes.

540 Il allait à la même vitesse que la mer, sans s'arrêter, sans reprendre son souffle, écoutant le bruit des vagues. Elles venaient de l'autre bout du monde, hautes, penchées en avant, portant l'écume, elles glissaient sur les roches lisses et elles s'écrasaient dans les crevasses.

---

1. Île du roi Mihrage : au cours de son premier voyage, Sindbad arrive sur l'île du roi Mirhage après avoir pris une baleine pour une île et avoir risqué de se noyer.

545   Le soleil brillait de son éclat fixe, tout près de l'horizon. C'était de lui que venait toute cette force, sa lumière poussait les vagues contre la terre. C'était une danse qui ne pouvait pas finir, la danse du sel quand la mer était basse, la danse des vagues et du vent quand le flot remontait vers le rivage.

550   Daniel entra dans la grotte quand la mer atteignit le rempart de varech. Il s'assit sur les galets pour regarder la mer et le ciel. Mais les vagues dépassèrent les algues et il dut reculer à l'intérieur de la grotte. La mer battait toujours, lançait ses nappes blanches qui frémissaient sur les cailloux comme une eau en train de bouillir.

555 Les vagues continuèrent à monter, comme cela, une après l'autre, jusqu'à la dernière barrière d'algues et de brindilles. Elle trouvait les algues les plus sèches, les branches d'arbre blanchies par le sel, tout ce qui s'était amoncelé à l'entrée de la grotte depuis des mois. L'eau butait contre les débris, les séparait, les prenait

560 dans le ressac[1]. Maintenant Daniel avait le dos contre le fond de la grotte. Il ne pouvait plus reculer davantage. Alors il regarda la mer pour l'arrêter. De toutes ses forces, il la regardait, sans parler, et il renvoyait les vagues en arrière, en faisant des contre-lames qui brisaient l'élan de la mer.

565   Plusieurs fois, les vagues sautèrent par-dessus les remparts d'algues et de débris, éclaboussant le fond de la grotte et entourant les jambes de Daniel. Puis la mer cessa de monter tout d'un coup. Le bruit terrible s'apaisa, les vagues devinrent plus douces, plus lentes, comme alourdies par l'écume. Daniel comprit que

570 c'était fini.

    Il s'allongea sur les galets, à l'entrée de la grotte, la tête tournée vers la mer. Il grelottait de froid et de fatigue, mais il n'avait jamais connu un tel bonheur. Il s'endormit comme cela, dans la paix étale[2], et la lumière du soleil baissa lentement comme

575 une flamme qui s'éteint.

---

1. Ressac : mouvement de retour des vagues après avoir buté sur un obstacle.
2. Étale : immobile, comme est la mer quand elle a cessé de monter ou descendre.

Après cela, qu'est-il devenu ? Qu'a-t-il fait, tous ces jours, tous ces mois, dans sa grotte, devant la mer ? Peut-être qu'il est parti vraiment pour l'Amérique, ou jusqu'en Chine, sur un cargo qui allait lentement, de port en port, d'île en île. Les rêves qui com-
580 mencent ainsi ne doivent pas s'arrêter. Ici, pour nous qui sommes loin de la mer, tout était impossible et facile. Tout ce que nous savions, c'est qu'il s'était passé quelque chose d'étrange.

C'était étrange, parce que cela avait un aspect illogique qui démentait tout ce que les gens sérieux disaient. Ils s'étaient telle-
585 ment agités en tous sens pour retrouver la trace de Daniel Sindbad, les professeurs, les surveillants, les policiers, ils avaient posé tant de questions, et voilà qu'un jour, à partir d'une certaine date, ils ont fait comme si Daniel n'avait jamais existé. Ils ne parlaient plus de lui. Ils ont envoyé tous ses effets, et même ses vieilles copies
590 à ses parents, et il n'est plus rien resté de lui dans le Lycée que son souvenir. Et même de cela, les gens ne voulaient plus. Ils ont recommencé à parler de choses et d'autres, de leurs femmes et de leurs maisons, de leurs autos et des élections cantonales, comme avant, comme s'il ne s'était rien passé.

595 Peut-être qu'ils ne faisaient pas semblant. Peut-être qu'ils avaient réellement oublié Daniel, à force d'avoir trop pensé à lui pendant des mois. Peut-être que s'il était revenu, et qu'il s'était présenté à la porte du Lycée, les gens ne l'auraient pas reconnu et lui auraient demandé :
600 « Qui êtes-vous ? Qu'est-ce que vous voulez ? »

Mais nous, nous ne l'avions pas oublié. Personne ne l'avait oublié, dans le dortoir, dans les classes, dans la cour, même ceux qui ne l'avaient pas connu. Nous parlions des choses du Lycée, des problèmes et des versions[1], mais nous pensions toujours très
605 fort à lui, comme s'il était réellement un peu Sindbad et qu'il continuait à parcourir le monde. De temps en temps, nous nous

---

1. Versions : exercices de traduction d'un texte étranger en français.

arrêtions de parler, et quelqu'un posait la question, toujours la même :

« Tu crois qu'il est là-bas ? »

610 Personne ne savait au juste ce que c'était, là-bas, mais c'était comme si on voyait cet endroit, la mer immense, le ciel, les nuages, les récifs sauvages et les vagues, les grands oiseaux blancs qui planent dans le vent.

Quand la brise agitait les branches des châtaigniers, on regar-
615 dait le ciel, et on disait, avec un peu d'inquiétude, à la manière des marins :

« Il va y avoir de la tempête. »

Et quand le soleil de l'hiver brillait dans le ciel bleu, on commentait :

620 « Il a de la chance aujourd'hui. »

Mais on ne disait jamais beaucoup plus, parce que c'était comme un pacte qu'on avait conclu sans le savoir avec Daniel, une alliance de secret et de silence qu'on avait passée un jour avec lui, ou bien peut-être comme ce rêve qu'on avait commencé, simplement,
625 un matin, en ouvrant les yeux et en voyant dans la pénombre du dortoir le lit de Daniel, qu'il avait préparé pour le reste de sa vie, comme s'il ne devait plus jamais dormir.

Un quiz pour commencer

Cochez les bonnes réponses.

1 *Quel prénom de marin Daniel aurait-il aimé porter ?*
- ❏ Sindbad.
- ❏ Ulysse.
- ❏ Haddock.

2 *Quel type d'élève est Daniel ?*
- ❏ C'est un cancre qui ne veut rien apprendre.
- ❏ C'est un élève moyen qui arrive tout juste à obtenir des notes correctes.
- ❏ C'est un excellent élève qui retient tout ce qu'il entend.

3 *Qui Daniel a-t-il prévenu de son départ ?*
- ❏ Ses parents.
- ❏ Ses amis.
- ❏ Personne.

❹ *Comment les pensionnaires répondent-ils aux questions des policiers ?*
- ❏ Ils ne répondent pas car ils ne savent rien.
- ❏ Ils mentent car ils ne veulent pas trahir Daniel.
- ❏ Ils disent ce qu'ils savent car ils ont peur pour Daniel.

❺ *Quand tout le bruit autour de la disparition de Daniel s'est calmé, qu'ont fait les pensionnaires ?*
- ❏ Ils ont oublié Daniel.
- ❏ Ils ont écrit à Daniel.
- ❏ Ils se sont mis à rêver de Daniel.

❻ *Comment Daniel va-t-il vers la mer ?*
- ❏ Il monte dans un train.
- ❏ Il fait de l'auto-stop.
- ❏ Il marche le long des petites routes.

❼ *Quand il arrive enfin face à la mer, que ressent Daniel ?*
- ❏ Il est déçu : il avait imaginé autre chose.
- ❏ Il ne ressent rien : son voyage l'a trop fatigué.
- ❏ Il est heureux : il a enfin réalisé son rêve.

❽ *Quel ami Daniel se fait-il près de la mer ?*
- ❏ Un enfant.
- ❏ Un poulpe.
- ❏ Un goéland.

❾ *Que devient Daniel à la fin de la nouvelle ?*
- ❏ On ne sait pas.
- ❏ Il revient au lycée mais on ne le reconnaît pas.
- ❏ Il se noie dans une grotte envahie par la marée montante.

Des questions pour aller plus loin

☛ Étudier une histoire dont la fin est incertaine

Daniel et son histoire

❶ Après avoir relu attentivement la première partie de la nouvelle (p. 131-134), reproduisez et complétez ce tableau pour dresser un portrait de Daniel.

Nom	
Informations sur sa famille	
Détails physiques	
Occupations	
Goûts	
Dégoûts	

❷ Caractérisez la vie de Daniel au lycée (ses activités, ses rapports avec les autres élèves, ses sentiments).

❸ Quels sont les différents lieux évoqués dans cette nouvelle ? Combien de temps dure l'aventure de Daniel ?

❹ Dans votre CDI et sur Internet, faites des recherches sur le personnage de Sindbad. Vous préciserez où il a voyagé et ce qu'il a rapporté de ses périples.

❺ Retrouvez les différentes fois où le nom de Sindbad est cité dans la nouvelle. Y a-t-il une évolution dans l'identification de Daniel à Sindbad ?

Voir la mer : une expérience de l'absolu

❻ Pourquoi Daniel n'est-il pas intéressé par les discussions sur la mer de ses camarades ?

❼ Relevez les différentes découvertes que Daniel fait sur la mer (ses changements, ses dangers, ses trésors). À partir de ces informations, pouvez-vous dire de quelle mer il s'agit ?

❽ En vous appuyant sur des passages précis de la nouvelle, montrez que, face à la mer, les cinq sens de Daniel sont en éveil.

❾ « Il respirait de toutes ses forces, pour sentir le souffle, et c'était comme si la mer et l'horizon gonflaient ses poumons, son ventre, sa tête, et qu'il devenait une sorte de géant » (p. 138). En quoi l'expérience de Daniel est-elle exceptionnelle ?

Une étrange disparition

❿ Relevez les marques de la présence du narrateur dans les premières pages du texte (p. 131-134). Qui est-il ?

⓫ Retrouvez les trois mouvements de la nouvelle et donnez-leur un titre. Comparez le début et la fin du texte. Que remarquez-vous ?

⓬ À la fin du premier mouvement de la nouvelle, un mot important est répété, d'abord sous la forme d'un verbe à l'infinitif, ensuite sous la forme d'un nom. De quel mot s'agit-il ? Que peut-on en déduire ?

⓭ Relevez dans le dernier mouvement de la nouvelle les termes et les phrases exprimant l'incertitude. Quels événements sont ainsi tenus à distance, montrés comme incertains ?

⓮ Quelles sont donc les deux interprétations possibles que l'on peut donner à cette histoire (selon que l'on insiste sur l'itinéraire de Daniel ou sur l'incertitude du témoignage de ses camarades) ?

Rappelez-vous !

Parmi les nouvelles de *Mondo et autres histoires*, *Celui qui n'avait jamais vu la mer* a une particularité : sa fin laisse le lecteur dans l'incertitude. On se demande en effet si l'aventure de Daniel est seulement une histoire inventée par les internes ou non.

De la lecture à l'écriture

Des mots pour mieux écrire

❶ Retrouvez les verbes de la même famille que les noms suivants : craquement, claquement, chuintement, murmure, grondement.

❷ Complétez les phrases qui suivent à l'aide des verbes que vous aurez trouvés dans l'exercice précédent.

a. Les nuits de grands vents, les volets mal fermés _____ contre le mur.
b. J'aime quand le vent léger _____ dans les feuilles.
c. Cette nuit, j'ai été réveillé par des bruits étranges : l'escalier _____, l'eau _____ dans les tuyaux.
d. Au cours d'une tempête, le vent se lève, le tonnerre _____, les éclairs jaillissent de nulle part.

❸ Donnez cinq mots de la même famille que « mer » et employez chacun d'eux dans une phrase qui en éclairera le sens.

À vous d'écrire

❶ Dix ans plus tard, le narrateur reconnaît Daniel dans une rue et engage la conversation avec lui. Rédigez leur échange.
Consigne. Dans un dialogue d'une dizaine de répliques, le narrateur demandera à Daniel ce qu'il est devenu et le jeune homme racontera ce qu'il a fait au cours de ces dix années. Vous emploierez le champ lexical de la mer. Vous conjuguerez les verbes au présent de l'indicatif et au passé composé.

❷ Écrivez l'article de journal relatant la disparition de Daniel
le lendemain de cet événement.
Consigne. Vous donnerez la parole à plusieurs personnages:
un camarade de dortoir, ses parents ou un professeur. Vous soignerez
la présentation de votre article: titre, disposition des colonnes, citations
et éventuellement illustration.

Les Bergers

1

La route droite et longue traversait le pays des dunes. Il n'y avait rien d'autre ici que le sable, les arbustes épineux, les herbes sèches qui craquent sous les pieds et, par-dessus tout cela, le grand ciel noir de la nuit. Dans le vent, on entendait distinctement tous les bruits, les bruits mystérieux de la nuit qui effraient un peu. Des sortes de petits craquements, que font les pierres qui se resserrent, les crissements du sable sous les semelles des chaussures, les brindilles qui se cassent. La terre paraissait immense à cause de ces bruits, à cause du ciel noir aussi et des étoiles qui brillaient d'un éclat fixe. Le temps paraissait immense, très lent, avec par instants de drôles d'accélérations incompréhensibles, des vertiges, comme si on traversait le courant d'un fleuve. On marchait dans l'espace, comme suspendu dans le vide parmi les amas d'étoiles.

De tous les côtés venaient les bruits des insectes, un grincement continu qui résonnait dans le ciel. C'était peut-être le bruit des étoiles, les messages stridents venus du vide. Il n'y avait pas de lumières sur la terre, sauf les lucioles qui zigzaguaient au-dessus de la route. Dans la nuit aussi noire que le fond de la mer, les pupilles dilatées cherchaient la moindre source de clarté.

Tout était aux aguets. Les animaux du désert couraient entre les dunes : les lièvres des sables, les rats, les serpents. Le vent soufflait parfois de la mer, et on entendait le grondement des

vagues qui déferlaient sur la côte. Le vent poussait les dunes. Dans
25 la nuit elles luisaient faiblement, pareilles à des voiles de bateau.
Le vent soufflait, il soulevait des nuages de sable qui brûlaient la
peau du visage et des mains.

Il n'y avait personne, et pourtant l'on sentait partout la présence
de la vie, des regards. C'était comme d'être la nuit dans une
30 grande ville endormie, et de marcher devant toutes ces fenêtres
qui cachent les gens.

Les bruits résonnaient ensemble. Dans la nuit ils étaient plus
forts, plus précis. Le froid rendait la terre vibrante, sonore, grandes
étendues de sable chantonnantes, grandes dalles de pierre qui
35 parlaient. Les insectes crissaient, et aussi les scorpions, les mille-
pattes, les serpents du désert. De temps en temps on entendait
la mer, le grondement sourd des vagues de l'océan qui venaient
s'effondrer sur le sable de la plage. Le vent apportait la voix de
la mer, jusqu'ici, par bouffées, avec un peu d'embruns.

40 Où est-ce qu'on était, maintenant ? Il n'y avait pas de points
de repère. Seulement les dunes, les rangées de dunes, l'étendue
invisible du sable où tremblotaient les touffes d'herbe, où cli-
quetaient les feuilles des arbustes, tout cela, à perte de vue. Pas
très loin, pourtant, il y avait sûrement les maisons, la ville plate,
45 les réverbères, les phares des camions. Mais maintenant on ne
savait plus où c'était. Le vent froid avait tout balayé, tout lavé,
tout usé avec ses grains de sable.

Le grand ciel noir était absolument lisse, dur, percé de petites
lumières lointaines. C'était le froid qui commandait sur ce pays,
50 qui faisait entendre sa voix.

Peut-être que là où on allait, on ne pourrait plus revenir en
arrière, jamais. Peut-être que le vent recouvrait vos traces, comme
cela, avec son sable, et qu'il fermait tous les chemins derrière
vous. Puis les dunes se mouvaient lentement, imperceptiblement,
55 pareilles aux longues lames de la mer. La nuit vous enveloppait.
Elle vidait votre tête, elle vous faisait tourner en rond. Le bruit
rugissant de la mer arrivait comme à travers le brouillard. Les

grincements des insectes s'éloignaient, revenaient, repartaient, jaillissaient de tous les côtés à la fois, et c'étaient la terre entière
60 et le ciel qui criaient.

Comme la nuit était longue dans ce pays ! Elle était si longue qu'on avait oublié comment c'était quand il faisait jour. Les étoiles giraient[1] lentement dans le vide, descendaient vers l'horizon. Parfois, une étoile filante rayait le ciel. Elle glissait par-dessus
65 les autres, très vite, puis elle s'éteignait. Les lucioles filaient aussi dans le vent, s'accrochaient aux branches des buissons. Elles restaient là, en faisant clignoter leurs ventres. En haut des dunes, on voyait le désert qui s'allumait et s'éteignait sans cesse, de tous côtés.

70 C'était peut-être à cause de cela qu'on sentait cette présence, ces regards. Et puis il y avait ces bruits, tous ces bruits étranges et menus qui vivaient alentour. Les petits animaux inconnus détalaient dans les creux de sable, entraient dans leurs terriers. On était chez eux, dans leur pays. Ils lançaient leurs signaux
75 d'alerte. Les engoulevents[2] volaient d'un buisson à l'autre. Les gerboises[3] suivaient leurs chemins minuscules. Entre les dalles de pierre froide, la couleuvre coulait son corps. C'étaient eux, les habitants, qui couraient, s'arrêtaient, cœur palpitant, cou dressé, yeux fixes. C'était ici leur monde.

80 Un peu avant l'aube, quand le ciel devenait gris peu à peu, un chien s'est mis à aboyer, et les chiens sauvages ont répondu. Ils ont poussé de longs cris aigus, la tête renversée en arrière. C'était étrange, cela faisait frissonner la peau.

Il n'y avait plus de bruits d'insectes à présent. Les pierres ne
85 craquaient plus. Le brouillard montait de la mer, en suivant le lit des torrents à sec. Il passait très lentement sur les dunes, il s'étirait comme de la fumée.

---

1. Giraient : tournaient sur elles-mêmes.
2. Engoulevents : oiseaux.
3. Gerboises : rongeurs du désert.

Les étoiles s'effaçaient dans le ciel. Une lumière faisait une tache, à l'est, au-dessus du désert. La terre commençait à apparaître, pas
90 du tout belle, mais grise et terne, parce qu'elle dormait encore. Les chiens sauvages erraient entre les dunes, à la recherche de nourriture. C'étaient de petits chiens maigres avec un dos arqué et de longues pattes. Ils avaient des oreilles pointues comme les renards.

95 La lumière augmentait, on commençait à distinguer les formes. Il y avait une plaine, semée de rochers brûlés, et quelques huttes en pisé[1] avec des toits de palmes. Les huttes étaient en ruine, probablement abandonnées depuis des mois, sauf une où vivaient les enfants. Autour des maisons, c'était la grande plaine
100 de pierres, les dunes. Derrière les dunes, la mer. Quelques sentiers traversaient la plaine ; c'étaient les pieds nus des enfants et les sabots des chèvres qui les avaient tracés.

Quand le soleil apparut au-dessus de la terre, loin, à l'est, la lumière fit briller d'un seul coup la plaine. Le sable des dunes
105 brillait comme de la poussière de cuivre. Le ciel était lisse et clair comme de l'eau. Les chiens sauvages s'approchèrent des maisons et du troupeau de chèvres.

C'était ici leur monde, sur la grande étendue de pierres et de sable.

110 Quelqu'un arrivait le long des sentiers, entre les dunes. C'était un jeune garçon vêtu comme les gens de la ville. Il portait sur l'épaule une veste de lin un peu froissée, et ses chaussures de toile blanche étaient couvertes de poussière. De temps en temps il s'arrêtait et hésitait, parce que les sentiers se divisaient. Il repérait
115 le bruit de la mer, à sa gauche, puis il recommençait à marcher. Le soleil était déjà haut sur l'horizon, mais il ne sentait pas sa chaleur. La lumière qui se réverbérait sur le sable l'obligeait à fermer les yeux. Son visage n'était pas habitué au soleil ; il était

---

1. Pisé : matériau de construction à base d'argile et de paille.

rouge par endroits, sur le front, et surtout sur le nez, où la peau
120 commençait à partir. Le jeune garçon n'était pas très habitué
non plus à marcher dans le sable ; cela se voyait à la façon dont
il tordait ses chevilles en marchant sur les pentes des dunes.

Quand il arriva devant le mur de pierres sèches, le garçon
s'arrêta. C'était un très long mur qui barrait la plaine. À chaque
125 extrémité, le mur disparaissait sous les dunes. Il fallait faire un
grand détour pour trouver un passage. Le garçon hésita. Il regarda
en arrière, pensant qu'il allait peut-être revenir sur ses pas.

C'est alors qu'il entendit des bruits de voix. Cela venait de
l'autre côté du mur, des cris étouffés, des appels. C'étaient des
130 voix d'enfants. Le vent les portait par-dessus la muraille, un peu
irréelles, mêlées au grondement de la mer. Les chiens sauvages
aboyaient plus fort, parce qu'ils avaient senti la présence du
nouveau venu.

Le jeune garçon escalada la muraille et regarda de l'autre
135 côté. Mais il n'aperçut pas les enfants. De ce côté du mur, c'était
toujours la même plaine de rochers, les mêmes arbustes et, au
loin, la ligne douce des dunes.

Le jeune garçon avait très envie d'aller voir là-bas. Il y avait
beaucoup de traces sur le sol, des sentiers, des brisées dans les
140 fourrés qui indiquaient le passage des gens. Sur les rochers, le
soleil faisait briller les parcelles de mica[1].

Le jeune garçon était attiré par cet endroit. Il sauta du mur
et il se sentit plus léger, plus libre. Il écouta le bruit du vent et
de la mer, il vit les creux où vivent les lézards, les buissons où les
145 oiseaux font leurs nids.

Il commença à marcher sur la plaine de pierres. Ici, les arbustes
étaient plus hauts. Certains portaient des baies rouges.

Tout à coup, il s'arrêta, parce qu'il avait entendu tout près
de lui :
150 « Frrtt ! Frrtt ! »

---

1. Mica : minéral noir ou blanc.

un bruit bizarre, comme si on jetait de petits cailloux sur la terre. Mais personne ne se montrait.

Le jeune garçon recommença à avancer. Il suivait un petit sentier qui conduisait à un groupe de rochers, au centre de
155 l'enceinte de pierres sèches.

Encore une fois, il entendit, tout près de lui :

« Frrtt ! Frrtt ! »

Cela venait de derrière, maintenant. Mais il ne vit que la muraille, les buissons, les dunes. Il n'y avait personne.

160 Mais le jeune garçon sentait qu'on le regardait. Cela venait de tous les côtés à la fois, un regard insistant qui le guettait, qui suivait chacun de ses mouvements. Il y avait longtemps qu'on le regardait ainsi, mais le jeune garçon venait seulement de s'en rendre compte. Il n'avait pas peur ; il faisait grand jour mainte-
165 nant, et d'ailleurs le regard n'avait rien d'effrayant.

Pour voir ce qui allait se passer, le garçon s'accroupit près d'un buisson et il attendit, comme s'il cherchait quelque chose par terre. Au bout d'une minute, il entendit un bruit de course. Debout, il vit des ombres qui se cachaient entre les arbustes, et
170 il entendit des rires étouffés.

Alors il sortit de sa poche un petit miroir, et il dirigea le reflet dans la direction des arbustes. Le petit cercle blanc voltigeait, et semblait enflammer les feuilles sèches.

Soudain, au milieu des branches, le rond blanc éclaira un
175 visage et fit briller une paire d'yeux. Le jeune garçon maintint le reflet du soleil sur le visage, jusqu'à ce que l'inconnu se lève, ébloui par la lumière.

Ils se levèrent tous les quatre ensemble : c'étaient des enfants. Le jeune garçon les regarda avec étonnement. Ils étaient petits,
180 pieds nus, habillés de vêtements en vieille toile. Leurs visages étaient couleur de cuivre, leurs cheveux couleur de cuivre aussi tombaient en larges boucles. Au milieu, il y avait une petite fille à l'air farouche[1], vêtue d'une chemise bleue trop grande pour

---

1. Farouche : sauvage.

elle. L'aîné des quatre enfants tenait dans sa main droite une
longue lanière verte, qui semblait faite de paille tressée.

Comme le jeune garçon restait immobile, les enfants s'approchèrent. Ils se parlaient à mi-voix et riaient, mais le jeune garçon
ne comprenait pas ce qu'ils disaient. Il leur demanda d'où ils
venaient, et qui ils étaient, mais les enfants secouèrent la tête et
continuèrent à rire un peu.

Avec une voix un peu enrouée, le jeune garçon dit:

« Je m'appelle — Gaspar. »

Les enfants se regardèrent et ils éclatèrent de rire. Ils répétaient:

« Gach Pa ! Gach Pa ! »

comme cela, avec des voix aiguës. Et ils riaient comme s'ils
n'avaient jamais rien entendu de plus comique.

« Qu'est-ce que c'est ? » dit Gaspar. Il prit dans sa main la lanière
verte que tenait l'aîné des enfants. Le garçon se baissa et ramassa
une petite pierre par terre. Il la plaça dans le creux de la lanière
et la fit tournoyer au-dessus de sa tête. Il ouvrit la main, la lanière
se détendit et le caillou fila haut dans le ciel en sifflant. Gaspar
essaya de le suivre des yeux, mais le caillou disparut dans l'air.
Quand il retomba sur la terre, à vingt mètres, un petit nuage de
poussière montra l'endroit qu'il avait frappé.

Les autres enfants crièrent et battirent des mains. L'aîné tendit
la lanière à Gaspar et dit:

« Goum ! »

Le jeune garçon choisit à son tour un caillou sur le sol et il
le plaça dans la boucle de la fronde. Mais il ne savait pas tenir
la lanière. L'enfant aux cheveux couleur de cuivre lui montra
comment glisser l'extrémité de la lanière autour de son poignet
et replia les doigts de Gaspar sur l'autre extrémité. Puis il se
recula un peu et il dit encore:

« Goum ! Goum ! »

Gaspar commença à faire tournoyer son bras au-dessus de sa
tête. Mais la lanière était lourde et longue, et c'était beaucoup

moins facile qu'il l'avait cru. Il fit tournoyer plusieurs fois la lanière, de plus en plus vite, et au moment où il s'apprêtait à
220 ouvrir la main, il fit un faux mouvement. La tresse siffla et cingla son dos, si fort qu'elle déchira sa chemise.

Gaspar avait mal et il était en colère, mais les enfants riaient tant qu'il ne put s'empêcher de rire, lui aussi. Les enfants battaient des mains et criaient :
225 « Gach Pa ! Gach Paaa ! »

Ensuite ils s'assirent par terre. Gaspar montra son petit miroir. L'aîné des enfants s'amusa un instant avec le reflet du soleil, puis il se regarda dans le miroir.

Gaspar aurait bien voulu connaître leurs noms. Mais les enfants
230 ne parlaient pas sa langue. Ils parlaient une drôle de langue, volubile[1] et un peu rauque, qui faisait une musique qui allait bien avec le paysage de pierres et de dunes. C'était comme les craquements des pierres dans la nuit, comme les cliquetis des feuilles sèches, comme le bruit du vent sur le sable.
235 Seule la petite fille restait un peu à l'écart. Elle était assise sur ses talons, les genoux et les pieds couverts par sa grande chemise bleue. Ses cheveux étaient couleur de cuivre rose et tombaient en boucles épaisses sur ses épaules. Elle avait des yeux très noirs, comme les garçons, mais plus brillants encore. Il y avait une
240 drôle de lumière dans ses yeux, comme un sourire qui ne voulait pas trop se montrer. L'aîné montra la petite fille à Gaspar et il répéta plusieurs fois :
« Khaf... Khaf... Khaf... »

Alors Gaspar l'appela ainsi : Khaf. C'était un nom qui lui allait
245 bien.

Le soleil brillait fort, maintenant. Il allumait toutes ses étincelles sur les rochers aigus, de petits éclairs clignotants, comme s'il y avait eu des miroirs.

---

1. Volubile : rapide et fluide.

Le bruit de la mer avait cessé, parce que le vent soufflait main-
250   tenant de l'intérieur des terres, du désert. Les enfants restaient
assis. Ils regardaient du côté des dunes en plissant les yeux. Ils
semblaient attendre.

Gaspar se demandait comment ils vivaient ici, loin de la ville.
Il aurait bien aimé poser des questions à l'aîné des garçons, mais
255   ce n'était pas possible. Même s'ils avaient parlé le même langage,
Gaspar n'aurait pas osé lui poser des questions. C'était comme
ça. C'était un endroit où on ne devait pas poser de questions.

Quand le soleil était en haut du ciel, les enfants partaient rejoindre le troupeau. Sans rien dire à Gaspar, ils partirent dans la
260   direction des grands rochers brûlés, là-bas, à l'est, en marchant
à la file indienne le long du sentier étroit.

Gaspar les regarda partir, assis sur le tas de pierres. Il se demandait
ce qu'il fallait faire. Peut-être qu'il fallait retourner en arrière et
revenir vers la route, vers les maisons de la ville, vers les gens qui
265   l'attendaient, là-bas, de l'autre côté de la muraille et des dunes.

Quand les enfants furent assez loin, à peine grands comme des
insectes noirs sur la plaine des rochers, l'aîné se retourna vers
Gaspar. Il fit tournoyer sa fronde d'herbe au-dessus de sa tête.
Gaspar ne vit rien venir, mais il entendit un sifflement près de
270   son oreille, et le caillou frappa derrière lui. Il se redressa, sortit
son petit miroir et lança un reflet vers les enfants.

«Haa-hou-haa!»

Les enfants crièrent avec leur voix aiguë. Ils faisaient des signes
avec la main. Seule la petite Khaf continuait à marcher sans se
275   retourner le long du sentier.

Gaspar bondit et se mit à courir de toutes ses forces à travers la
plaine, sautant par-dessus les pierres et les buissons. En quelques
secondes il rejoignit les enfants, et ensemble ils continuèrent
leur route.

280   Il faisait très chaud maintenant. Gaspar avait ouvert sa chemise
et roulé ses manches. Pour se protéger du soleil, il mit la veste

de toile sur sa tête. L'air brûlant était traversé par des essaims de mouches minuscules qui bourdonnaient autour des cheveux des enfants. Le soleil dilatait les pierres et faisait crépiter les branches
285 des arbustes. Le ciel était absolument pur, mais à présent il avait une couleur pâle de gaz surchauffé.

Gaspar marchait derrière l'aîné des enfants, les yeux à demi fermés à cause de la lumière. Personne ne parlait. La chaleur avait séché les gorges. Gaspar avait respiré par la bouche, et sa
290 gorge était si douloureuse qu'il étouffait. Il s'arrêta et il dit à l'aîné :

« J'ai soif… »

Il répéta plusieurs fois en montrant sa gorge. Le garçon secoua la tête. Il n'avait peut-être pas compris. Gaspar vit que les enfants
295 n'étaient plus comme tout à l'heure. Maintenant ils avaient des visages durcis. La peau de leurs joues était rouge sombre, d'une couleur qui ressemblait à la terre. Leurs yeux aussi étaient sombres, ils brillaient d'un dur éclat minéral.

La petite Khaf s'approcha. Elle fouilla dans les poches de sa
300 chemise bleue, et elle en sortit une poignée de graines qu'elle tendit à Gaspar. C'étaient des graines semblables à des fèves, vertes et poussiéreuses. Dès que Gaspar en mit une dans sa bouche, cela le brûla comme du poivre, et aussitôt sa gorge et son nez s'humectèrent.

305 L'aîné des enfants montra les graines et dit :

« Lula. »

Ils recommencèrent à marcher, et franchirent une première chaîne de collines. De l'autre côté, il y avait une plaine identique à celle d'où ils étaient partis. C'était une grande plaine de
310 rochers, avec de l'herbe qui poussait en son centre.

C'est là que paissait le troupeau.

Il y avait en tout une dizaine de moutons noirs, quelques chèvres, et un grand bouc noir qui se tenait un peu à l'écart. Gaspar s'arrêta pour se reposer, mais les enfants ne l'attendirent pas.

315 Ils descendaient en courant le ravin qui conduisait à la plaine. Ils poussaient de drôles de cris,

« Hawa ! Hahouwa ! »

comme des aboiements. Puis ils sifflaient entre leurs doigts. Les chiens se levèrent et répondirent :

320 « Haw ! Haw ! Haw ! Haw ! »

Le grand bouc tressaillit et frappa le sol avec ses sabots. Puis il rejoignit le troupeau et toutes les bêtes s'écartèrent. Un nuage de poussière commençait à tourner autour du troupeau. C'étaient les chiens sauvages qui décrivaient des cercles rapides. Le bouc

325 tournait en même temps qu'eux, la tête baissée, présentant ses deux longues cornes acérées.

Les enfants approchaient en aboyant et en sifflant. L'aîné fit tournoyer sa fronde d'herbe. Chaque fois qu'il ouvrait la main, un caillou frappait une bête dans le troupeau. Les enfants cou-

330 raient et agitaient leurs bras, sans cesser de crier :

« Ha ! Hawa ! Hawap ! »

Quand le troupeau fut rassemblé autour du bouc, les enfants éloignèrent les chiens à coups de pierres. Gaspar descendit le ravin à son tour. Un chien sauvage gronda, les crocs à l'air, et

335 Gaspar fit tournoyer sa veste en criant, lui aussi :

« Ha ! Haaa ! »

Il n'avait plus soif à présent. Sa fatigue avait disparu. Il courait sur la plaine de rochers en faisant tournoyer sa veste. Le soleil très haut dans le ciel blanc brillait avec violence. L'air était saturé

340 de poussière, l'odeur des moutons et des chèvres enveloppait tout, pénétrait tout.

Lentement, le troupeau avançait à travers l'herbe jaune, dans la direction des collines. Les bêtes étaient serrées les unes contre les autres et criaient avec leurs voix plaintives. À l'arrière du

345 troupeau, le bouc marchait lourdement, en baissant parfois ses cornes pointues. L'aîné des enfants le surveillait. Sans s'arrêter, il ramassait un caillou et faisait siffler sa fronde. Le bouc soufflait rageusement, puis bondissait quand le caillou frappait son dos.

L'air fou, les chiens sauvages continuaient à courir autour du
350 troupeau en criant. Les enfants leur répondaient et leur jetaient
des pierres. Gaspar faisait comme eux; son visage était tout gris
de poussière, ses cheveux étaient collés par la sueur. Il avait tout
oublié, maintenant, tout ce qu'il connaissait avant d'arriver. Les
rues de la ville, les salles d'étude sombres, les grands bâtiments
355 blancs de l'internat, les pelouses, tout cela avait disparu comme
un mirage dans l'air surchauffé de la plaine déserte.

C'était le soleil surtout qui était cause de ce qui se passait ici. Il
était au centre du ciel blanc, et sous lui tournaient les bêtes dans
leur nuage de poussière. Les ombres noires des chiens traversaient
360 la plaine, revenaient, repartaient. Les sabots martelaient la terre
dure, et cela faisait un bruit qui roulait et grondait comme la
mer. Les cris des chiens, les voix des moutons, les appels et les
sifflements des enfants n'arrêtaient pas.

Comme cela, lentement, le troupeau commença à franchir la
365 deuxième chaîne de collines, en suivant le lit des torrents. Le
sable montait dans l'air et, pris par les rafales de vent, descendait
vers la plaine en formant des trombes.

Les ravins devenaient plus étroits, bordés par des buissons épineux. Les moutons laissaient sur leur passage des touffes de poils
370 noirs. Gaspar déchirait ses vêtements aux branches. Ses mains
saignaient, mais le vent chaud arrêtait le sang tout de suite. Les
enfants escaladaient les collines sans fatigue, mais Gaspar tomba
plusieurs fois en glissant sur les cailloux.

Quand ils arrivèrent au sommet, les enfants s'arrêtèrent pour
375 regarder. Gaspar n'avait jamais rien vu d'aussi beau. Devant eux,
la plaine et les dunes descendaient lentement, par vagues, jusqu'à
la limite de l'horizon. C'était une très grande étendue ondoyante,
avec de gros blocs de rocher sombres et des monticules de sable
rouge et jaune. Tout était très lent, très calme. À l'est, la plaine
380 était dominée par une falaise blanche qui étendait son ombre
noire. Entre les collines et les dunes, il y avait une vallée qui ser-
pentait, descendant chaque niveau par une marche. Et au bout

de la vallée, au loin, si loin que cela devenait presque irréel, on voyait la terre entre les collines: à peine, grise, bleue, verte, légère
385 comme un nuage, la terre lointaine, la plaine d'herbe et d'eau. Légère, douce, délicate comme la mer vue de loin.

Ici le ciel était grand, la lumière plus belle, plus pure. Il n'y avait pas de poussière. Le vent soufflait par intermittence, le long de la vallée, le vent frais qui vous rendait calme.

390 Gaspar et les enfants regardaient sans bouger la plaine lointaine, et ils sentaient une sorte de bonheur dans leurs corps. Ils auraient voulu voler aussi vite que le regard et se poser là-bas, au centre de la vallée.

Le troupeau n'avait pas attendu les enfants. Le grand bouc
395 noir à sa tête, il dévalait les pentes et suivait le ravin. Les chiens sauvages n'aboyaient plus; ils trottaient derrière le troupeau.

Gaspar regarda les enfants. Debout sur un rocher en surplomb, ils contemplaient le paysage sans parler. Le vent agitait leurs vêtements. Leurs visages étaient moins durs. La lumière jaune brillait
400 sur leurs fronts, dans leurs cheveux. Même la petite Khaf avait perdu son air farouche. Elle distribua aux garçons des poignées de graines poivrées. Elle tendit la main, et montra à Gaspar la vallée qui miroitait près de l'horizon, et elle dit:

«Genna.»

405 Les enfants reprirent la route, sur les traces des moutons. Gaspar marchait le dernier. À mesure qu'ils redescendaient les collines, la vallée lointaine disparaissait derrière les dunes. Mais ils n'avaient plus besoin de la voir. Ils suivaient le ravin, dans la direction du soleil levant.

410 Il faisait moins chaud, déjà. Sans qu'ils s'en aperçoivent, la journée avait passé. Le ciel était doré maintenant, et la lumière ne se réverbérait plus sur les parcelles de mica.

Le troupeau avait une demi-heure d'avance sur les enfants. Quand ils arrivaient au sommet d'un monticule, ils le voyaient
415 qui remontait de l'autre côté, en faisant ébouler les pierres.

Le soleil se coucha vite. Il y eut un bref crépuscule, et l'ombre commença à recouvrir le ravin. Alors les enfants s'assirent dans un creux et ils attendirent la nuit. Gaspar s'installa à côté d'eux. Il avait très soif et sa bouche était enflée à cause des graines poi-
420   vrées. Il enleva ses chaussures et vit que ses pieds saignaient ; le sable avait pénétré à l'intérieur des chaussures et avait arraché sa peau.

Les enfants allumèrent un feu de brindilles. Puis un des jeunes garçons partit dans la direction du troupeau. À la nuit, il revint en
425   portant une outre pleine de lait. À tour de rôle, les enfants burent. La petite Khaf but la dernière, et elle apporta l'outre à Gaspar. Gaspar but trois longues gorgées. Le lait était doux et tiède, et cela calma tout de suite l'ardeur de sa bouche et de sa gorge.

Le froid arriva. Il sortait de la terre, comme le souffle d'une
430   cave. Gaspar s'approcha du feu et s'allongea dans le sable. À côté de lui, la petite Khaf dormait déjà, et Gaspar étendit sur elle sa veste de toile. Puis, les yeux fermés, il écouta les bruits du vent. Cela faisait avec les craquements du feu une bonne musique pour s'endormir. On entendait aussi, au loin, les bêlements des
435   chèvres et des moutons.

L'inquiétude légère réveilla Gaspar. Il ouvrit les yeux, et vit d'abord le ciel noir étoilé qui semblait tout près. La lune pleine, blanche, éclairait comme une lampe. Le feu était éteint, et les enfants dormaient. En tournant la tête, Gaspar vit l'aîné des
440   enfants debout à côté de lui. Abel (Gaspar avait entendu son nom plusieurs fois quand les enfants se parlaient) était immobile, sa longue fronde d'herbe à la main. La lumière de la lune éclairait son visage et brillait dans ses yeux. Gaspar se redressa en se demandant combien de temps il avait dormi. C'était le regard
445   d'Abel qui l'avait réveillé. Le regard d'Abel disait :

« Viens avec moi. »

Gaspar se leva et marcha derrière le garçon. Le froid de la nuit était vif, et cela acheva de le réveiller. Au bout de quelques pas,

450 il s'aperçut qu'il avait oublié de mettre ses chaussures ; mais ses pieds écorchés étaient mieux ainsi, et il continua.

Ensemble, ils escaladèrent la pente du ravin. À la lumière de la lune, les rochers étaient blancs, un peu bleus. Le cœur battant, Gaspar suivait Abel vers le sommet de la colline. Il ne se demandait même pas où il allait. Quelque chose de mystérieux l'attirait, 455 quelque chose dans le regard d'Abel peut-être, un instinct qui le guidait, l'aidait à marcher pieds nus sur les cailloux coupants, sans faire de bruit. Devant lui, la silhouette svelte d'Abel bondissait d'un rocher à l'autre, silencieuse et souple comme un chat.

En haut du ravin, ils furent pris par le vent, un vent froid qui 460 coupait la respiration. Abel s'arrêta et examina les alentours. Ils étaient sur une sorte de plateau de pierre. Quelques buissons noirs bougeaient dans le vent. Les dalles lisses luisaient à la lumière lunaire, séparées par des fissures.

Sans bruit, Gaspar rejoignit Abel. Le jeune garçon guettait. 465 Rien ne bougeait sur son visage, excepté les yeux. Malgré le vent qui sifflait, il semblait à Gaspar qu'il entendait le cœur d'Abel battre dans sa poitrine. Il voyait briller le petit nuage de vapeur devant son visage, chaque fois qu'Abel respirait.

Sans quitter des yeux le plateau éclairé, Abel ramassa un caillou 470 et le plaça dans sa fronde d'herbe. Puis, soudain, il fit tournoyer la lanière au-dessus de sa tête. De plus en plus vite, la fronde tournait comme une hélice. Gaspar s'écarta. Il scrutait le plateau lui aussi, examinant chaque pierre, chaque fissure, chaque buisson noir. La fronde tournait en faisant un sifflement continu, 475 d'abord grave et pareil au hurlement du vent, puis aigu comme le bruit d'une sirène.

La musique de la fronde d'herbe paraissait emplir tout l'espace. Tout le ciel résonnait, et la terre, les rochers, les arbustes, les herbes. Cela allait jusqu'à l'horizon, c'était une voix qui appelait. 480 Que voulait-elle ? Gaspar ne baissait pas les yeux, il regardait le même point, droit devant lui, sur le plateau lunaire, et ses yeux brûlaient de fatigue et de désir. Le corps d'Abel frissonnait. C'était

comme si le sifflement de la fronde d'herbe sortait de lui, par
la bouche et par les yeux, pour couvrir la terre et aller jusqu'au
485 fond du ciel noir.

Tout d'un coup, quelqu'un apparut sur le plateau de pierre.
C'était un grand lièvre du désert, couleur de sable. Il était debout
sur ses pattes, ses longues oreilles dressées. Ses yeux brillaient
comme de petits miroirs tandis qu'il regardait vers les enfants. Le
490 lièvre resta immobile, figé au bord de la dalle de pierre, écoutant
la musique de la fronde d'herbe.

Il y eut le claquement de la lanière et le lièvre se coucha sur
le côté, car la pierre l'avait frappé exactement entre les deux
yeux.

495 Abel se tourna vers son compagnon et le regarda. Son visage
était éclairé de contentement. Ensemble les enfants coururent
pour ramasser le lièvre. Abel sortit un petit couteau de sa poche,
et sans hésiter il trancha la gorge de l'animal, puis il le maintint
par les pattes arrière pour qu'il se vide de son sang. Il donna le
500 lièvre à Gaspar, et avec ses deux mains il arracha la peau jusqu'à
la tête. Ensuite il l'éventra et il arracha les entrailles qu'il jeta
dans une crevasse.

Ils redescendirent vers le ravin. En passant près d'un arbuste, Abel
choisit une longue branche qu'il émonda[1] avec son couteau.

505 Quand ils rejoignirent le campement, Abel réveilla les enfants.
Ils rallumèrent le feu avec de nouvelles brindilles. Abel embrocha
le lièvre sur la branche et il s'accroupit près du feu pour le faire
rôtir. Quand le lièvre fut cuit, Abel le partagea avec ses doigts. Il
tendit une cuisse à Gaspar et garda l'autre pour lui.

510 Les enfants mangèrent rapidement, et ils jetèrent les os aux
chiens sauvages. Puis ils se recouchèrent autour des braises et ils
s'endormirent. Gaspar resta quelques minutes les yeux ouverts
à regarder la lune blanche qui ressemblait à un phare au-dessus
de l'horizon.

---

1. **Émonda** : tailla, en enlevant les rameaux sur les côtés.

2

⁵¹⁵ Il y avait plusieurs jours maintenant que les enfants vivaient à Genna. Ils étaient arrivés là un peu avant le coucher du soleil, ils étaient entrés dans la vallée en même temps que le troupeau. Tout à coup, au détour du chemin, ils avaient vu la grande plaine verte qui brillait doucement, et ils s'étaient arrêtés un instant, ⁵²⁰ sans pouvoir bouger, tellement c'était beau.

C'était vraiment beau ! Devant eux, l'espace d'herbes hautes ondulait dans le vent, et les arbres se balançaient, beaucoup d'arbres élancés, aux troncs noirs et aux larges frondaisons[1] vertes ; des amandiers, des peupliers, des lauriers géants ; il y avait aussi ⁵²⁵ de hauts palmiers dont les feuilles bougeaient. Autour de la plaine, les collines de pierres étendaient leur ombre, et du côté de la mer, les dunes de sable étaient couleur d'or et de cuivre. C'était ici que le troupeau arrivait, c'était leur terre.

Les enfants regardaient l'herbe sans bouger, comme s'ils n'osaient ⁵³⁰ pas y marcher. Au centre de la plaine, entouré de palmiers, le lac brillait comme un miroir, et Gaspar sentit une vibration dans son corps. Il se retourna et regarda les enfants. Leurs visages étaient éclairés par la lumière douce qui venait de la plaine d'herbe. Les yeux de la petite Khaf n'étaient plus sombres ; ils étaient devenus ⁵³⁵ transparents, couleur d'herbe et d'eau.

---

1. Frondaisons : feuillages abondants.

C'est elle qui partit la première. Elle jeta ses paquets, en criant de toutes ses forces un mot étrange,

« Mouïa-a-a-a !... »

et elle se mit à courir à travers les herbes.

540 « C'est l'eau ! C'est l'eau ! » pensa Gaspar. Mais avec les autres il cria le mot étrange, et il commença à courir vers le lac.

« Mouïa ! Mouïa-a-a ! »

Gaspar courait vite. Les longues herbes cinglaient ses mains et son visage, s'écartaient devant son corps en crissant. Gaspar

545 courait à travers la plaine, ses pieds nus frappaient le sol humide, ses bras fauchaient les feuilles coupantes de l'herbe. Il entendait le bruit de son cœur, le grincement des herbes qui se repliaient derrière lui. À quelques mètres à gauche, Abel courait aussi vite, en poussant des cris. Parfois il disparaissait sous les herbes, puis

550 reparaissait, bondissant par-dessus les pierres. Leurs routes se croisaient, s'éloignaient, et les autres enfants couraient derrière eux, en sautant pour voir où ils allaient. Ils appelaient, et Gaspar répondait :

« Mouïa-a-a-a !... »

555 Ils sentaient l'odeur de la terre humide, l'odeur âcre de l'herbe écrasée, l'odeur des arbres. Les lames d'herbe lacéraient leurs visages comme des fouets, et ils continuaient à courir sans reprendre haleine, ils criaient sans se voir, ils s'appelaient, se guidaient vers l'eau.

560 « Mouïa ! Mouïa ! »

Gaspar voyait la nappe d'eau devant lui, scintillante au milieu des herbes. Il pensait qu'il arriverait le premier, et il courait encore plus vite. Mais tout à coup il entendit la voix de Khaf derrière lui. Elle criait avec détresse, comme quelqu'un qui s'est perdu :

565 « Mouïa-a-a ! »

Alors Gaspar revint en arrière, et il la chercha entre les herbes. Elle était si petite qu'il ne la voyait pas. En décrivant des cercles, il l'appela :

« Mouïa ! »

570 Il la trouva loin derrière les autres enfants. Elle courait à petits pas, en protégeant sa figure avec ses avant-bras. Elle avait dû tomber plusieurs fois, parce que sa chemise et ses jambes étaient couvertes de terre. Gaspar la souleva et la mit sur ses épaules, et il repartit en avant. C'était elle qui le guidait maintenant.
575 Cramponnée à ses cheveux, elle le poussait dans la direction de l'eau, et elle criait:

« Mouïa ! Mouïa-a-a !... »

En quelques enjambées, Gaspar rattrapa son retard. Il dépassa les deux plus jeunes garçons. Il arriva au bord de l'eau en même
580 temps qu'Abel. Ils tombèrent tous les trois dans l'eau fraîche, à bout de souffle, et ils se mirent à boire en riant.

Avant la nuit, les enfants construisirent une maison. Abel était l'architecte. Il avait coupé de longs roseaux et des branches. Avec l'aide des autres garçons, il avait formé la carcasse en ployant les
585 roseaux en arc et en les liant au sommet avec des herbes. Puis il avait bouché les interstices avec de petites branches. Pendant ce temps, la petite Khaf et Augustin, l'un des jeunes garçons, accroupis au bord du lac, fabriquaient de la boue.

Quand la pâte fut prête, ils l'étalèrent sur les murs de la mai-
590 son en tapotant avec les paumes de la main. Le travail avançait vite, et au coucher du soleil, la maison était finie. C'était une sorte d'igloo en terre, avec un côté ouvert pour entrer. Abel et Gaspar ne pouvaient y entrer qu'à quatre pattes, mais la petite Khaf pouvait s'y tenir droite. La maison était sur le bord du lac,
595 au centre d'une plage de sable. Autour de la maison, les hautes herbes formaient une muraille verte. De l'autre côté du lac vivaient les hauts palmiers. Ce sont eux qui fournirent les feuilles pour le toit de la maison.

Après avoir bu, le troupeau s'était éloigné à travers la plaine
600 d'herbe. Mais les enfants ne semblaient pas s'en soucier. De temps en temps, ils écoutaient les bêlements qui venaient dans le vent, de l'autre côté de l'herbe.

Quand le soir était venu, le plus jeune des garçons était parti traire les chèvres. Ensemble ils avaient bu le lait doux et tiède, puis
605 ils s'étaient couchés, serrés les uns contre les autres à l'intérieur de la maison. Une sorte de brouillard léger montait du lac, le vent avait cessé. Gaspar sentait l'odeur de la terre mouillée sur les murs de la maison. Il écoutait le bruit des grenouilles et des insectes de la nuit.

610 C'était ici qu'ils vivaient depuis des jours, c'était ici leur maison. Les journées étaient très longues, le ciel était toujours immense et pur, le soleil parcourait longtemps sa route d'un horizon à l'autre.

Chaque matin, en se réveillant, Gaspar voyait la plaine d'her-
615 bes ruisselante de petites gouttes qui brillaient dans la lumière. Au-dessus de la plaine, les collines de pierres avaient la couleur du cuivre. Les rochers aigus se découpaient contre le ciel clair. À Genna, il n'y avait jamais de nuages sauf, quelquefois, le sillage blanc d'un avion à réaction qui traversait lentement la stratos-
620 phère. On pouvait rester des heures à regarder le ciel, sans rien faire d'autre. Gaspar franchissait la plaine d'herbes, et il allait s'asseoir auprès d'Augustin, à côté du troupeau. Ensemble ils regardaient le grand bouc noir qui arrachait des touffes d'her-bes. Les chèvres et les moutons marchaient derrière lui. Les
625 chèvres avaient de longues têtes d'antilope, aux yeux obliques couleur d'ambre. Les moucherons vrombrissaient sans cesse dans l'air.

Abel montra à Gaspar comment fabriquer une fronde. Il choisit plusieurs lames d'une herbe spéciale, vert sombre, qu'il appe-
630 lait *goum*. En les maintenant avec ses orteils, il en fit une tresse. C'était difficile, parce que l'herbe était dure et glissante. La tresse se défaisait tout le temps, et Gaspar devait reprendre depuis le début. Les bords des brins d'herbe étaient tranchants, et ses mains saignaient. La tresse allait en s'élargissant pour former la
635 poche où on plaçait le caillou. À chaque extrémité, Abel montra

à Gaspar comment fermer la tresse par une boucle solide, qu'il consolida avec un brin d'herbe plus étroit.

Quand la tresse fut terminée, Abel l'examina avec soin. Il tira sur chaque extrémité pour éprouver la solidité de la lanière. Elle
640 était longue et souple, mais plus courte que celle d'Abel. Abel l'essaya tout de suite. Il choisit un caillou rond par terre et il le plaça au centre de la lanière. Puis il montra à nouveau comment placer les deux extrémités: une boucle autour du poignet, l'autre entre les doigts et la paume de la main.

645 Il commença à faire tourner la fronde. Gaspar écoutait le sifflement régulier de la lanière. Mais Abel ne lança pas la pierre. D'un mouvement brusque et précis, il arrêta la lanière et la donna à Gaspar. Puis il lui montra le tronc d'un palmier au loin.

Gaspar fit tourner la fronde à son tour. Mais il allait trop vite et
650 son buste était entraîné par le poids de la pierre. Il recommença plusieurs fois, en accélérant progressivement. Quand il entendit la lanière vrombir au-dessus de sa tête comme un moteur d'avion, il sut qu'il avait atteint la bonne vitesse. Lentement son corps tourna sur lui-même, et s'orienta vers le palmier debout
655 à l'autre bout de la plaine. Il était sûr de lui maintenant, et la fronde faisait partie de lui-même. Il lui semblait voir un grand arc de cercle qui l'unissait au tronc de l'arbre. Au moment même où Abel cria:

«Gia!»

660 Gaspar ouvrit sa main et la lanière d'herbe fouetta l'air. Le caillou invisible bondit vers le ciel et deux secondes plus tard, Gaspar entendit le bruit de l'impact sur le tronc du palmier.

À partir de ce moment, Gaspar sut qu'il n'était plus le même. Maintenant, il accompagnait l'aîné des enfants quand il ramenait
665 le troupeau vers le centre de la plaine. Ils partaient tous les deux à l'aurore, et ils traversaient les hautes herbes. Abel le guidait en faisant siffler sa fronde au-dessus de sa tête, et Gaspar répondait avec sa propre fronde.

Au loin, sur les premières dunes, les chiens sauvages avaient
670 repéré une chèvre égarée. Leurs aboiements aigus déchiraient
le silence. Abel courait sur les pierres. Le plus grand des chiens
avait déjà attaqué la chèvre. Ses poils noirs hérissés, il tournait
autour d'elle et, de temps à autre, il attaquait en grondant. La
chèvre reculait en présentant ses cornes ; mais un peu de sang
675 coulait de sa gorge.

Quand Abel et Gaspar arrivèrent, les autres chiens s'enfuirent.
Mais le chien au poil noir se tourna contre eux. Sa gueule bavait
et ses yeux brillaient de colère. Rapidement, Abel chargea sa
fronde avec une pierre tranchante et il la fit tournoyer. Mais le
680 chien sauvage connaissait le bruit de la fronde et quand la pierre
partit, il fit un bond de côté et l'évita. La pierre frappa le sol.
Alors le chien attaqua. D'une seule détente il sauta sur le jeune
garçon. Abel cria quelque chose à Gaspar qui comprit tout de
suite. À son tour il chargea sa fronde avec une pierre aiguë et la
685 fit tourner de toutes ses forces. Le chien noir s'arrêta et se tourna
vers Gaspar en grondant. Le caillou pointu le frappa à la tête et
brisa son crâne. Gaspar courut vers Abel et l'aida à marcher, car
il tremblait sur ses jambes. Abel serra très fort le bras de Gaspar
et, ensemble, ils ramenèrent la chèvre vers le troupeau. Tandis
690 qu'ils s'éloignaient, Gaspar se retourna et vit les chiens sauvages
qui dévoraient le corps du chien noir.

Les journées passaient comme cela, des journées si longues
que ç'aurait aussi bien pu être des mois. Gaspar ne se souvenait
plus très bien de ce qu'il avait connu avant qu'ils arrivent ici,
695 à Genna. Quelquefois il pensait aux rues de la ville, avec leurs
noms bizarres, aux voitures et aux camions. La petite Khaf aimait
bien qu'il fasse pour elle le bruit des autos, surtout les grosses
voitures américaines qui foncent tout droit sur les routes en
faisant éclater leur klaxon :
700 iiiiiaaaaoooooo !

Elle riait aussi beaucoup à cause du nez de Gaspar. Le soleil

l'avait brûlé, et il perdait sa peau par petites écailles. Lorsque
Gaspar s'asseyait devant la maison et sortait son petit miroir de
sa poche, elle s'asseyait à côté de lui et riait en répétant un mot
705 étrange :

« Zezay ! Zezay ! »

Alors les autres enfants riaient et répétaient, eux aussi :

« Zezay ! »

Gaspar finit par comprendre. Un jour, la petite Khaf lui fit
710 signe de la suivre. Sans bruit, elle marcha jusqu'à une pierre
plate, dans le sable, près des palmiers. Elle s'arrêta et montra
quelque chose à Gaspar, sur la pierre. C'était un long lézard gris
qui perdait sa peau au soleil.

« Zezay ! » dit-elle. Et elle toucha le nez de Gaspar en riant.
715 Maintenant la petite fille n'avait plus peur du tout. Elle aimait
bien Gaspar, peut-être parce qu'il ne savait pas parler, ou bien à
cause de son nez si rouge.

La nuit, quand le froid montait de la terre et du lac, elle passait
par-dessus le corps des autres enfants endormis et elle venait se
720 blottir contre Gaspar. Gaspar faisait semblant de ne pas se réveiller,
et il restait longtemps sans bouger, jusqu'à ce que le souffle de la
petite fille devienne régulier parce qu'elle s'était endormie. Alors
il la couvrait avec sa veste de lin et il s'endormait lui aussi.

Maintenant qu'ils étaient deux à chasser, les enfants mangeaient
725 souvent à leur faim. C'étaient des lièvres du désert qu'ils ren-
contraient à la limite des dunes, ou qui s'aventuraient au bord
du lac. Ou bien des perdrix grises qu'ils allaient chercher à la
tombée de la nuit dans les hautes herbes. Elles s'envolaient par
groupes au-dessus de la plaine, et les pierres sifflantes brisaient
730 leur vol. Il y avait aussi des cailles qui volaient au ras de l'herbe,
et il fallait mettre deux ou trois cailloux dans les frondes pour
pouvoir les atteindre. Gaspar aimait bien les oiseaux, et il regret-
tait de les tuer. Ceux qu'il préférait, c'étaient de petits oiseaux
gris à longues pattes qui s'enfuyaient en courant dans le sable,
735 et qui poussaient de drôles de cris aigus :

« Courliii ! Courliii ! Courliii ! »

Ils ramenaient les oiseaux à la petite Khaf qui les plumait. Puis elle les enveloppait avec de la boue et les mettait à cuire dans la braise.

740 Abel et Gaspar chassaient toujours ensemble. Parfois Abel réveillait son ami, sans faire de bruit, comme la première fois, rien qu'en le regardant. Gaspar ouvrait les yeux, il se levait à son tour et serrait la fronde d'herbe dans son poing. Ils partaient l'un derrière l'autre à travers l'herbe haute, dans la lumière grise

745 de l'aurore. Abel s'arrêtait de temps en temps pour écouter. Le vent qui passait sur l'herbe apportait les bruits ténus[1] de la vie, les odeurs. Abel écoutait, puis il changeait un peu de direction. Les bruits devenaient plus précis. Des criaillements d'étourneaux dans le ciel, des roucoulements de ramiers, qu'il fallait distin-

750 guer des bruits des insectes et des crissements des herbes. Les deux garçons se glissaient à travers les hautes herbes comme des serpents, sans bruit. Chacun tenait sa fronde chargée, et un caillou dans la main gauche. Quand ils arrivaient à l'endroit où étaient assis les oiseaux, ils s'écartaient l'un de l'autre, et

755 ils se redressaient en faisant tournoyer leurs lanières. Soudain, les étourneaux s'envolaient, jaillissaient dans le ciel. L'un après l'autre, les garçons ouvraient leur main droite, et les pierres sifflantes abattaient les oiseaux.

Quand ils revenaient vers la maison, les enfants avaient déjà

760 allumé le feu, et la petite Khaf avait préparé les cuves d'eau. Ensemble ils mangeaient les oiseaux, pendant que le soleil apparaissait au-dessus des collines, à l'autre bout de Genna.

Le matin, l'eau du lac était couleur de métal. Les moustiques et les araignées d'eau couraient à la surface. Gaspar accompa-

765 gnait la petite fille qui allait traire les chèvres. Il l'aidait en tenant les bêtes, pendant qu'elle vidait les mamelles dans les grandes

---

1. Ténus : faibles, peu perceptibles.

outres. Elle faisait cela tranquillement, sans relever la tête, en chantonnant une chanson dans sa langue un peu étrange. Puis ils retournaient vers la maison pour apporter le lait tiède aux
770 autres enfants.

Les deux jeunes frères (Gaspar pensait qu'ils s'appelaient Augustin et Antoine, mais il n'en était pas tout à fait certain) l'emmenaient relever les pièges. C'était de l'autre côté du lac, à l'endroit où commençait le marécage. Sur le chemin des lièvres,
775 Antoine avait placé des nœuds coulants faits de brins d'herbe tressée, attachés à des brindilles recourbées. Quelquefois ils trouvaient un lièvre étranglé, mais le plus souvent, les lacets avaient été arrachés. Ou bien c'étaient des rats qu'il fallait jeter au loin. Quelquefois aussi les chiens sauvages étaient passés les premiers
780 et avaient dévoré les captures.

Avec l'aide d'Antoine, Gaspar creusa une fosse pour attraper un renard. Il recouvrit la fosse avec des brindilles et de la terre. Puis il frotta le chemin qui conduisait à la fosse avec une peau de lièvre fraîche. Le piège resta intact plusieurs nuits, mais un
785 matin, Antoine revint en portant quelque chose dans sa chemise. Quand il ouvrit son paquet, les enfants virent un tout jeune renard qui clignait des yeux à la lumière du soleil. Gaspar le prit par la peau du cou comme un chat et le donna à la petite Khaf. Au début, ils avaient un peu peur l'un de l'autre, mais elle lui
790 donna à boire du lait de chèvre dans le creux de sa main et ils devinrent de bons amis. Le renard s'appelait Mîm.

À Genna, le temps ne passait pas de la même façon qu'ailleurs. Peut-être même que les jours ne passaient pas du tout. Il y avait les nuits, et les jours, et le soleil qui remontait lentement dans le ciel
795 bleu, et les ombres qui raccourcissaient, puis qui s'allongeaient sur le sol, mais ça n'avait plus la même importance. Gaspar ne s'en souciait pas. Il avait l'impression que c'était tout le temps la même journée qui recommençait, une très très longue journée qui n'en finirait jamais.

800 La vallée de Genna n'avait pas de fin, elle non plus. On n'avait jamais terminé de l'explorer. On trouvait sans cesse des endroits nouveaux où on n'était jamais allé. De l'autre côté du lac, par exemple, il y avait une zone d'herbe jaune et courte, et une sorte de marécage où poussaient des papyrus. Les enfants étaient 805 allés là pour cueillir des roseaux pour la petite Khaf qui voulait tresser des paniers.

Ils s'étaient arrêtés au bord du marécage, et Gaspar regardait l'eau qui luisait entre les roseaux. De grandes libellules volaient au ras de l'eau, en traçant des sillages légers. Le soleil se réverbérait 810 avec force, et l'air était lourd. Les moustiques dansaient dans la lumière autour des cheveux des enfants. Pendant qu'Augustin et Antoine cueillaient les roseaux, Gaspar s'était avancé à l'intérieur du marécage. Il marchait lentement en écartant les plantes, tâtant la vase avec ses pieds nus. Bientôt l'eau était arrivée jusqu'à sa 815 taille. C'était une eau fraîche et tranquille, et Gaspar se sentait bien. Il avait continué longtemps à marcher dans le marécage, puis, tout à coup, loin devant lui, il avait vu ce grand oiseau blanc qui nageait à la surface de l'eau. Son plumage faisait une tache éblouissante sur l'eau grise du marécage. Quand Gaspar 820 s'approchait trop, l'oiseau se levait, battait des ailes et s'éloignait de quelques mètres.

Gaspar n'avait jamais vu d'oiseau aussi beau. Il brillait comme l'écume de la mer, au milieu des herbes et des roseaux gris. Gaspar aurait voulu l'appeler, lui parler, mais il ne voulait pas l'effrayer. 825 De temps en temps, l'oiseau blanc s'arrêtait et regardait Gaspar. Puis il s'envolait un peu, l'air indifférent, parce que le marécage était à lui et qu'il voulait rester seul.

Gaspar était resté longtemps immobile dans l'eau à regarder l'oiseau blanc. La vase douce enveloppait ses pieds, et la lumière 830 étincelait à la surface de l'eau. Puis, au bout d'un moment, l'oiseau s'était approché de Gaspar. Il n'avait pas peur, parce que le maré-cage était vraiment à lui, à lui tout seul. Il voulait simplement voir l'étranger qui restait immobile dans l'eau.

Ensuite, il s'était mis à danser. Il battait des ailes, et son corps
blanc se soulevait un peu au-dessus de l'eau qui se troublait et
agitait les roseaux. Puis il retombait, et il nageait en décrivant
des cercles autour du jeune garçon. Gaspar aurait bien voulu
pouvoir lui parler, dans sa langue, pour lui dire qu'il l'admirait,
qu'il ne lui voulait aucun mal, qu'il voulait seulement être son
ami. Mais il n'osait pas faire du bruit avec sa voix.

Tout était tellement silencieux à cet endroit. On n'entendait
plus les cris des enfants sur la rive, ni les jappements aigus des
chiens. On entendait seulement le vent léger qui arrivait sur les
roseaux et qui faisait frissonner les feuilles des papyrus. Il n'y
avait plus de collines de pierres, ni de dunes, ni d'herbes. Il n'y
avait que l'eau couleur de métal, le ciel, et la tache éblouissante
de l'oiseau qui glissait sur le marécage.

Maintenant il ne s'occupait plus de Gaspar. Il nageait et pêchait
dans la vase, avec des mouvements agiles de son long cou. Puis
il se reposait en écartant ses larges ailes blanches, et il avait vraiment l'air d'un roi, hautain et indifférent, qui régnait sur son
domaine d'eau.

Soudain, il battit des ailes, et le jeune garçon vit son corps
couleur d'écume qui s'élevait lentement, tandis que ses longues
pattes traînaient à la surface du marécage comme les flotteurs
d'un hydravion. L'oiseau blanc décolla et fit un grand virage
dans le ciel. Il passa devant le soleil et disparut, confondu avec
la lumière.

Gaspar resta encore longtemps immobile dans l'eau, espérant que l'oiseau reviendrait. Après cela, tandis qu'il revenait
en arrière dans la direction des voix des enfants, il y avait une
drôle de tache devant ses yeux, une tache éblouissante comme
l'écume qui se déplaçait avec son regard et fuyait au milieu des
roseaux gris.

Mais Gaspar était heureux parce qu'il savait qu'il avait rencontré
le roi de Genna.

3

Hatrous, c'était le nom du grand bouc noir. Il vivait de l'autre côté de la plaine d'herbes, à la limite des dunes, entouré par les chèvres et les moutons. C'était Augustin qui avait la garde d'Ha-
870 trous. Quelquefois, Gaspar allait à sa recherche. Il s'approchait à travers les hautes herbes, en sifflant et en criant pour l'avertir, comme ceci :

«Ya-ha-ho!»

et il entendait la voix d'Augustin qui lui répondait au loin.

875 Ils s'asseyaient par terre, et ils regardaient le bouc et les chèvres, sans parler. Augustin était beaucoup plus jeune qu'Abel, mais il était plus sérieux. Il avait un beau visage lisse qui ne souriait pas souvent, et des yeux sombres et profonds qui semblaient voir loin derrière vous, vers l'horizon. Gaspar aimait bien son
880 regard plein de mystère.

Augustin était le seul qui pouvait s'approcher du bouc. Il marchait lentement vers lui, il lui disait des paroles à voix basse, des paroles douces et chantantes, et le bouc s'arrêtait de manger pour le regarder et tendre les oreilles. Le bouc
885 avait un regard comme celui d'Augustin, les mêmes larges yeux en amande, sombres et dorés, qui semblaient vous voir en transparence.

Gaspar restait assis à l'écart pour ne pas les déranger. Il aurait bien aimé s'approcher d'Hatrous, pour toucher ses cornes et la

890 laine épaisse sur son front. Hatrous savait tellement de choses, non
pas de ces choses qu'on trouve dans les livres, dont les hommes
aiment parler, mais des choses silencieuses et fortes, des choses
pleines de beauté et de mystère.

Augustin restait longtemps debout, appuyé sur le bouc. Il lui
895 offrait des herbes et des racines à manger, et tout le temps il lui
parlait à l'oreille. Le bouc s'arrêtait de mastiquer l'herbe pour
écouter la voix du petit garçon, puis il faisait quelques pas en
secouant la tête et Augustin marchait avec lui.

Hatrous avait vu toute la terre, au-delà des dunes et des collines
900 de pierres. Il connaissait les prairies, les champs de blé, les lacs,
les arbustes, les sentiers. Il connaissait les traces des renards et
des serpents mieux que personne. C'était cela qu'il enseignait
à Augustin, toutes les choses du désert et des plaines qu'il faut
apprendre pendant une vie entière.

905 Il restait auprès du jeune garçon, mangeant dans sa main les
herbes et les racines. Il écoutait les paroles douces et chantonnantes, et le poil de son dos frissonnait un peu. Ensuite il secouait la
tête, avec deux ou trois mouvements brusques des cornes. Puis
il allait rejoindre son troupeau.

910 Alors Augustin revenait s'asseoir à côté de Gaspar, et ils regardaient ensemble le bouc noir qui avançait lentement au milieu
des chèvres qui dansaient. Il les conduisait vers une autre pâture,
un peu plus loin, là où l'herbe était vierge.

Il y avait aussi le chien d'Augustin. Ce n'était pas vraiment son
915 chien, c'était un chien sauvage comme les autres, mais c'était
lui qui restait près d'Hatrous et du troupeau, et Augustin était
devenu son ami. Il l'avait appelé Noun. C'était un grand lévrier
à poils longs, couleur de sable, avec un nez effilé et des oreilles
courtes. De temps à autre, Augustin jouait avec lui. Il sifflait entre
920 ses doigts et il criait son nom :

« Noun ! Noun ! »

Alors l'herbe haute s'ouvrait et Noun arrivait à toute vitesse,
en poussant des cris brefs. Il s'arrêtait, dressé sur ses longues

jambes, le ventre palpitant. Augustin faisait semblant de lui jeter
925 une pierre, puis il criait encore son nom :
« Noun ! Noun ! »
et il partait en courant à travers les herbes. Le lévrier bondissait
derrière lui en aboyant, rapide comme une flèche. Comme il allait
beaucoup plus vite que l'enfant, il faisait de grands détours dans
930 la plaine, bondissait par-dessus les pierres, s'arrêtait, le museau
dressé, aux aguets. Il entendait à nouveau la voix d'Augustin et
il repartait. En quelques bonds, il l'avait rejoint au milieu des
herbes, et il faisait semblant de l'attaquer en grondant. Augustin
lui lançait des pierres, s'enfuyait à nouveau, tandis que le lévrier
935 tournait autour de lui. À la fin, ils sortaient tous les deux de la
plaine d'herbes, à bout de souffle.
Hatrous n'aimait pas trop ces bruits. Il soufflait et piétinait avec
colère, et il conduisait son troupeau un peu plus loin. Quand
Augustin revenait s'asseoir à côté de Gaspar, le lévrier se cou-
940 chait sur le sol, les pattes arrière repliées de côté, les deux pattes
avant bien droites, la tête haute. Il fermait les yeux et restait sans
bouger, tout à fait pareil à une statue. Seules ses oreilles étaient
mobiles, à l'affût des bruits.
À lui aussi, Augustin parlait. Il ne lui parlait pas avec des mots,
945 comme au bouc noir, mais en sifflotant entre ses dents, très
doucement. Mais le lévrier n'aimait pas qu'on l'approche. Dès
qu'Augustin se levait, il se levait aussi, et restait à distance.
Quand il y avait eu de la viande, Augustin traversait la plaine
d'herbes et il apportait des os pour Noun. Il les posait par terre,
950 et il s'éloignait de quelques pas en sifflant. Alors Noun venait
manger. Personne n'avait le droit de venir vers lui à ce moment-là ;
les autres chiens rôdaient autour, et Noun grondait sans relever
la tête.
C'était bien d'avoir ces amis, à Genna. On n'était jamais seul.
955 Le soir, quand l'air alourdi par le soleil arrêtait le vent, la petite
Khaf allumait le feu pour chasser les moucherons qui dansaient
près des yeux et des oreilles. Puis elle partait avec Gaspar pour

traire les chèvres. Quand ils traversaient ensemble les hautes
herbes, la petite fille s'arrêtait. Gaspar comprenait ce qu'elle
960 voulait, et il la mettait sur ses épaules, comme la première fois où
ils étaient arrivés devant le lac. Elle était si légère que Gaspar la
sentait à peine sur ses épaules. En courant, il rejoignait la région
où Hatrous vivait auprès de son troupeau. Augustin était toujours
assis au même endroit, en train de regarder le bouc noir, et les
965 collines lointaines.

La petite Khaf rentrait seule en portant l'outre gonflée de lait.
Gaspar restait avec Augustin jusqu'à la tombée de la nuit. Quand
l'ombre venait, il y avait un drôle de frisson sur toutes les choses.
C'était l'heure que Gaspar et Augustin préféraient. La lumière
970 déclinait peu à peu, l'herbe et la terre devenaient grises alors
que le haut des dunes était encore éclairé. À ce moment-là, le
ciel était si transparent qu'on avait l'impression de voler, très
haut en décrivant des cercles lents comme un vautour. Il n'y
avait plus de vent, plus de mouvement sur la terre, et les bruits
975 venaient de loin, très doux et très calmes. On entendait les chiens
qui s'interpellaient d'une colline à l'autre, les moutons et les
chèvres qui se serraient autour du grand bouc noir en poussant
leurs bêlements un peu plaintifs. L'ombre emplissait tout le ciel
comme de la fumée, et les étoiles apparaissaient, une à une.
980 Augustin montrait leurs feux, il donnait à chacun un nom étrange
que Gaspar essayait de retenir. C'étaient les noms des étoiles de
Genna, les noms qu'il fallait apprendre, et qui brillaient fort
dans l'espace bleu sombre,

«Altaïr… Eltanin… Kochab… Merak…»

985 Il disait leurs noms, comme cela, lentement, avec sa voix chan-
tonnante, et elles apparaissaient dans le ciel bleu-noir, faibles
d'abord, un seul point de lumière vacillante, tantôt rouge, tantôt
bleu. Puis fixes et puissantes, élargies, dardant leurs rayons aigus,
elles brillaient comme des brasiers au milieu du vide. Gaspar
990 écoutait intensément leurs noms magiques, et c'étaient les mots
les plus beaux qu'il eût jamais entendus,

« Fecda… Alioth… Mizar… Alkaïd… »

La tête renversée en arrière, Augustin appelait les étoiles. Il attendait un peu entre chaque nom, comme si les lumières obéissaient à son regard et grandissaient, traversaient le vide du ciel, arrivaient jusqu'à lui, au-dessus de Genna. Entre elles maintenant il y avait de nouvelles étoiles, plus petites, à peine visibles, une poussière de sable qui s'effaçait par instants, puis revenait,

« Alderamin… Deneb… Chedir… Mirach… »

Les feux ressemblaient à une flottille[1] au bord de l'horizon. Ils s'unissaient entre eux et dessinaient des figures étranges qui couvraient le ciel. Sur la terre, il n'y avait plus rien, presque plus rien. Les dunes de sable étaient voilées par l'ombre, les herbes étaient englouties. Autour du grand bouc noir, le troupeau de moutons et de chèvres marchait sans bruit vers le haut de la vallée. Les yeux grands ouverts, Gaspar et Augustin regardaient le ciel. Là-haut il y avait beaucoup de monde, beaucoup de peuples allumés, des oiseaux, des serpents, des chemins qui sinuaient entre les villes de lumière, des rivières, des ponts ; il y avait des animaux inconnus arrêtés, des taureaux, des chiens aux yeux étincelants, des chevaux,

« Enif… »

des corbeaux aux ailes déployées dont le plumage luisait, des géants couronnés de diamants, immobiles, et qui regardaient la terre,

« Alnilam, Jouyera… »

des couteaux, des lances et des épées d'obsidienne[2], un cerf-volant enflammé suspendu dans le vent du vide. Il y avait surtout, au centre des signes magiques, un éclair luisant au bout de sa longue corne acérée, le grand bouc noir Hatrous debout dans la nuit, qui régnait sur son univers,

« Ras Alhague… »

---

1. Flottille : réunion de petits navires.
2. Obsidienne : roche noire, lisse et brillante.

Alors Augustin se couchait sur le dos et il contemplait toutes les étoiles qui brillaient pour lui dans le ciel. Il ne les appelait plus, il ne bougeait plus. Gaspar frissonnait, et retenait son souffle. Il écoutait de toutes ses forces, pour entendre ce que disaient les étoiles. C'était comme s'il regardait avec tout son corps, son visage, ses mains, pour entendre le murmure léger qui résonnait au fond du ciel, le bruit d'eau et de feu des lumières lointaines.

On pouvait rester là toute la nuit, au milieu de la plaine de Genna. On entendait le chant des insectes qui commençait, pas très fort au début, puis qui grandissait, qui emplissait tout. Le sable des dunes restait chaud, et les enfants creusaient des trous pour dormir. Seul, le grand bouc noir ne dormait pas. Il veillait devant son troupeau, ses yeux brillant comme des flammes vertes. Peut-être qu'il restait éveillé pour apprendre de nouvelles choses sur les étoiles et sur le ciel. Parfois, il secouait sa lourde toison de laine, il soufflait à travers ses naseaux, parce qu'il avait entendu le glissement d'un serpent, ou parce qu'un chien sauvage rôdait. Les chèvres partaient en courant, et leurs sabots frappaient la terre sans qu'on sache où elles étaient. Puis le silence revenait.

Quand la lune se levait au-dessus des collines de pierres, Gaspar se réveillait. L'air de la nuit le faisait frissonner. Il regardait autour de lui, et voyait qu'Augustin était parti. À quelques mètres, le jeune garçon était assis à côté d'Hatrous. Il lui parlait à voix basse, toujours avec les mêmes paroles chantonnantes.

Hatrous remuait ses mâchoires, il se penchait sur Augustin et soufflait sur son visage. Alors Gaspar comprenait qu'il était en train de lui enseigner de nouvelles choses. Il lui enseignait ce qu'il avait appris dans le désert, les journées sous le soleil qui brûle, les choses de la lumière et de la nuit. Peut-être qu'il lui parlait du croissant de lune suspendu au-dessus de l'horizon, ou bien du grand serpent de la voie lactée qui rampe à travers le ciel.

Gaspar restait debout, il regardait de toutes ses forces le grand bouc noir pour essayer de comprendre un peu des belles choses qu'il enseignait à Augustin. Puis il traversait le champ d'herbes et il retournait jusqu'à la maison où les enfants dormaient.

Il restait un moment debout devant la porte de la maison. Il
1060 regardait le mince croissant un peu de travers dans le ciel noir. Un souffle léger venait derrière Gaspar. Sans se retourner, il savait que c'était la petite Khaf qui s'était réveillée. Il sentait sa main tiède qui se plaçait dans la sienne et qui la serrait très fort.

Alors, ils montaient tous les deux ensemble dans le ciel, devenus
1065 légers comme des plumes, ils flottaient vers le croissant de lune. La tête levée, ils s'en allaient très longtemps, très longtemps, sans quitter des yeux le croissant couleur d'argent, sans penser à rien, presque sans respirer. Ils flottaient au-dessus de la vallée de Genna, plus haut que les éperviers, plus haut que les avions
1070 à réaction. Ils voyaient toute la lune, maintenant, le grand disque sombre de l'arc de cercle éblouissant couché dans le ciel qui ressemblait à un sourire. La petite Khaf serrait la main de Gaspar de toutes ses forces, pour ne pas tomber à la renverse. Mais c'était elle la plus légère, c'était elle qui entraînait le jeune
1075 garçon vers le croissant de lune.

Quand ils avaient longtemps regardé la lune, et qu'ils étaient arrivés tout près d'elle, tellement près qu'ils sentaient la radiation fraîche de la lumière sur leurs visages, ils retournaient à l'intérieur de la maison. Ils restaient longtemps sans dormir, à
1080 regarder à travers l'ouverture étroite de la porte la lumière pâle, à écouter les chants stridents des criquets. Les nuits étaient belles et longues, à Genna.

4

Les enfants allaient de plus en plus loin dans la vallée. Gaspar
partait tôt le matin, alors que les hautes herbes étaient encore
pleines de rosée et que le soleil ne pouvait pas chauffer toutes
les pierres et tout le sable des dunes.

Ses pieds nus se posaient sur les traces de la veille, suivaient
les sentiers. Il fallait faire attention aux épines cachées dans le
sable, et aux silex tranchants. Parfois Gaspar escaladait un gros
rocher, au bout de la vallée et il regardait autour de lui. Il voyait
la mince fumée qui montait droit dans le ciel. Il imaginait la
petite Khaf accroupie devant le feu, en train de faire cuire la
viande et les racines.

Plus loin encore, il voyait le nuage de poussière que faisait le
troupeau en marchant. Conduites par le grand bouc Hatrous,
les chèvres se dirigeaient vers le lac. En scrutant chaque coin de
la vallée, Gaspar apercevait les autres enfants. Il les saluait de
loin en faisant briller son petit miroir. Les enfants répondaient
en criant :

« Ha-hou ha ! »

À mesure qu'on s'éloignait du centre de la vallée, la terre devenait
plus sèche. Elle était toute craquelée et durcie par le soleil, elle
résonnait sous les pieds comme une peau de tambour. Ici vivaient
de drôles d'insectes en forme de brindilles, des scarabées, des

1105 scolopendres[1], des scorpions. Avec précaution, Gaspar retournait les vieilles pierres, pour voir les scorpions s'enfuir, la queue
dressée. Gaspar ne les craignait pas. C'était un peu comme s'il
était leur semblable, maigre et sec sur la terre poussiéreuse. Il
aimait bien les dessins qu'ils laissaient dans la poussière, de petits
1110 chemins sinueux et fins comme les barbes des plumes d'oiseaux.
Il y avait aussi les fourmis rouges, qui couraient vite sur les dalles
de pierre, fuyant les rayons mortels du soleil. Gaspar les suivait
du regard, et il pensait qu'elles aussi avaient des choses à enseigner. C'étaient sûrement des choses très petites et incroyables,
1115 quand les cailloux devenaient grands comme des montagnes et
les touffes d'herbe hautes comme des arbres. Quand on regardait
les insectes, on perdait sa taille et on commençait à comprendre
ce qui vibrait sans cesse dans l'air et sur la terre. On oubliait tout
le reste. C'était peut-être pour cela que les jours étaient si longs
1120 à Genna. Le soleil n'en finissait pas de rouler dans le ciel blanc,
le vent soufflait pendant des mois, des années.

Plus loin, quand on avait franchi une première colline, on
arrivait dans le pays des termites. Gaspar et Abel étaient arrivés
là, un jour, et ils s'étaient arrêtés, un peu effrayés. C'était un assez
1125 grand plateau de terre rouge, raviné de torrents à sec, où rien
ne poussait, pas un arbuste, pas une herbe. Il y avait seulement
la ville des termites.

Des centaines de tours alignées, faites de terre rouge, avec des
toits effilochés et des pans de mur en ruine. Certaines étaient
1130 très hautes, neuves et solides comme des gratte-ciel ; d'autres
paraissaient inachevées, ou brisées, avec des parois tachées de
noir comme si elles avaient brûlé.

Il n'y avait pas de bruit dans cette ville. Abel regardait, penché
en arrière, prêt à s'enfuir : mais Gaspar avançait déjà le long des
1135 rues, au milieu des hautes tours, en balançant sa fronde le long
de sa jambe. Abel courut le rejoindre. Ensemble, ils circulèrent à

---

1. **Scolopendres** : mille-pattes.

travers la ville. Autour des édifices, la terre était dure et compacte comme si on l'avait foulée. Les tours n'avaient pas de fenêtres. C'étaient de grands immeubles aveugles, debout dans la lumière violente du soleil, usés par le vent et par la pluie. Les forteresses étaient dures comme la pierre. Gaspar frappa contre les murs avec son poing, puis essaya de les entamer avec un caillou. Mais il ne parvenait à détacher qu'un peu de poudre rouge.

Les enfants marchaient entre les tours, en regardant les murailles épaisses. Ils entendaient le sang battre contre leurs tempes et la respiration siffler de leur bouche parce qu'ils se sentaient étrangers, et qu'ils avaient peur. Ils n'osaient pas s'arrêter. Au centre de la ville, il y avait une termitière encore plus haute que les autres. Sa base était large comme le tronc d'un palmier, et les deux enfants l'un sur l'autre n'auraient pu atteindre son sommet. Gaspar s'arrêta et contempla la termitière. Il pensait à ce qu'il y avait à l'intérieur de la tour, à ces gens qui vivaient tout en haut, suspendus dans le ciel, mais qui ne voyaient jamais la lumière. La chaleur les enveloppait, mais ils ne savaient pas où était le soleil. Il pensait à cela, et aussi aux fourmis, aux scorpions, aux scarabées qui laissent leurs traces dans la poussière. Ils avaient beaucoup de choses à enseigner, des choses étranges et minuscules, quand les journées duraient aussi longtemps qu'une vie. Alors il s'appuya contre le mur rouge, et il écouta. Il sifflait, pour appeler les gens de l'intérieur ; mais personne ne répondait. Il n'y avait que le bruit du vent qui chantonnait en passant entre les tours de la ville, et le bruit de son cœur qui résonnait. Quand Gaspar frappa avec ses poings la haute muraille, Abel eut peur et s'enfuit. Mais la termitière restait silencieuse. Peut-être que ses habitants dormaient, tout entourés de vent et de lumière, à l'abri dans leur forteresse. Gaspar prit une grosse pierre et il la lança de toutes ses forces contre la tour. La pierre brisa un morceau de la termitière en faisant un bruit de verre brisé. Dans les débris de la muraille, Gaspar vit de drôles d'insectes qui se débattaient. Dans la poussière rouge, ils ressemblaient à des gouttes de miel.

Mais le silence n'avait pas cessé sur la ville, un silence qui pesait et menaçait du haut de toutes les tours. Gaspar sentit la peur, comme Abel. Il se mit à courir dans les rues de la ville, aussi vite qu'il put. Quand il eut rejoint Abel, ils redescendirent ensemble

1175 en courant vers la plaine d'herbes, sans se retourner.

Le soir, quand le soleil déclinait, les enfants s'asseyaient près de la maison pour regarder la petite Khaf danser. Antoine et Augustin fabriquaient des petites flûtes avec les roseaux de l'étang. Ils taillaient plusieurs tubes de longueur différente, qu'ils liaient

1180 ensemble avec des herbes. Quand ils commençaient à souffler dans les roseaux, la petite Khaf se mettait à danser. Gaspar n'avait jamais entendu une musique comme celle-là. C'étaient seulement des notes qui glissaient, montant, descendant, avec des bruits aigus comme des cris d'oiseaux. Les deux garçons jouaient

1185 à tour de rôle, se répondaient, se parlaient, toujours avec les mêmes notes glissantes. Devant eux, la tête un peu inclinée, la petite Khaf faisait bouger ses hanches en cadence, le buste bien droit, les mains écartées le long de son corps. Puis elle frappa le sol avec ses pieds nus, d'un mouvement rapide de la plante du

1190 pied et des talons, et cela faisait un roulement qui résonnait à l'intérieur de la terre, comme des coups de tambour. Les garçons se levèrent à leur tour, et ils continuèrent à jouer de la flûte en frappant le sol avec leurs pieds nus. Ils jouèrent et la petite Khaf dansa ainsi, jusqu'à ce que le soleil se couche sur la vallée. Puis

1195 ils s'assirent à côté du feu allumé. Mais Augustin partit de l'autre côté des hautes herbes, là où vivaient le grand bouc noir et le troupeau. Il continua à jouer tout seul là-bas, et le vent apportait par moments les sons légers de la musique, les notes glissantes et frêles comme des cris d'oiseaux.

1200 Dans le ciel presque noir, les enfants regardaient passer un avion à réaction. Il brillait très haut comme un moucheron d'étain, et derrière lui son sillage blanc s'élargissait, fendait le ciel en deux.

Peut-être que l'avion avait aussi des choses à enseigner, des
choses que ne savent pas les oiseaux.

Il y avait beaucoup de choses à apprendre, ici à Genna. On
ne les apprenait pas avec les paroles, comme dans les écoles des
villes ; on ne les apprenait pas de force, en lisant des livres ou en
marchant dans les rues pleines de bruit et de lettres brillantes. On
les apprenait sans s'en apercevoir, quelquefois très vite, comme
une pierre qui siffle dans l'air, quelquefois très lentement, journée après journée. C'étaient des choses très belles, qui duraient
longtemps, qui n'étaient jamais pareilles, qui changeaient et
bougeaient tout le temps. On les apprenait, puis on les oubliait,
puis on les apprenait encore. On ne savait pas bien comment
elles venaient : elles étaient là, dans la lumière, dans le ciel, sur la
terre, dans les silex et les parcelles de mica, dans le sable rouge
des dunes. Il suffisait de les voir, de les entendre. Mais Gaspar
savait bien que les gens d'ailleurs ne pouvaient pas les apprendre.
Pour les apprendre, il fallait être à Genna, avec les bergers, avec
le grand bouc Hatrous, le chien Noun, le renard Mîm, avec toutes
les étoiles au-dessus de vous, et, quelque part dans le marécage
gris, le grand oiseau au plumage couleur d'écume.

C'était le soleil qui enseignait surtout, à Genna. Très haut dans
le ciel, il brillait et donnait sa chaleur aux pierres, il dessinait
chaque colline, il mettait à chaque chose son ombre. Pour lui,
la petite Khaf fabriquait avec de la boue des assiettes et des plats
qu'elle mettait à sécher sur les feuilles. Elle faisait aussi des sortes
de poupées avec de la boue, qu'elle coiffait de brins d'herbe et
qu'elle habillait avec des bouts de chiffon. Puis elle s'asseyait et
elle regardait le soleil cuire les poteries et les poupées, et sa peau
devenait couleur de terre aussi, et ses cheveux ressemblaient à
de l'herbe.

Le vent parlait souvent, lui-même. Ce qu'il enseignait n'avait
pas de fin. Cela venait d'un côté de la vallée, vous traversait et
partait vers l'autre côté, passait comme un souffle à travers votre
gorge et votre poitrine. Invisible et léger, cela vous emplissait,

vous gonflait, sans jamais vous rassasier. Quelquefois, Abel et Gaspar s'amusaient à retenir leur respiration, en se bouchant le nez. Ils faisaient comme s'ils étaient en plongée sous la mer, très profond, à la recherche du corail. Ils résistaient plusieurs secondes, comme cela, la bouche et le nez fermés. Puis, d'un coup de talon, ils remontaient à la surface, et le vent entrait à nouveau dans leurs narines, le vent violent qui enivre. La petite Khaf essayait un peu, elle aussi, mais ça lui donnait le hoquet.

Gaspar pensait que s'il arrivait à comprendre tous les enseignements, il serait pareil au grand bouc Hatrous, très grand et plein de force sur la terre poussiéreuse, avec ces yeux qui jetaient des éclairs verts. Il serait comme les insectes aussi, et il pourrait construire de grandes maisons de boue, hautes comme des phares, avec juste une fenêtre au sommet, d'où on verrait toute la vallée de Genna.

Ils connaissaient bien ce pays, maintenant. Rien qu'avec la plante de leurs pieds, ils auraient pu dire où ils étaient. Ils connaissaient tous les bruits, ceux qui vont avec la lumière du jour, ceux qui naissent dans la nuit. Ils savaient où trouver les racines et les herbes bonnes à manger, les fruits âpres des arbustes, les fleurs sucrées, les graines, les dattes, les amandes sauvages. Ils connaissaient les chemins des lièvres, les lieux où les oiseaux s'asseyent, les œufs dans les nids. Quand Abel revenait, à la nuit tombante, les chiens sauvages aboyaient pour réclamer leur part des entrailles. La petite Khaf leur jetait des tisons ardents pour les éloigner. Elle serrait le renard Mîm dans sa chemise. Seul le chien Noun avait le droit de s'approcher, parce qu'il était l'ami d'Augustin.

Quand le vol de sauterelles arriva, c'était un matin, alors que le soleil était déjà haut dans le ciel. C'est Mîm qui les entendit le premier, bien avant qu'elles aient apparu au-dessus de la vallée. Il s'arrêta devant la porte de la maison, les oreilles tendues, le corps tremblant. Puis le bruit arriva, et les enfants s'immobilisèrent à leur tour.

C'était un nuage bas, couleur de fumée jaune, qui avançait en

flottant au-dessus des herbes. Tous les enfants se mirent à crier soudain, à courir à travers la vallée, tandis que le nuage se balançait, hésitait, tourbillonnait sur place au-dessus des herbes, et le
1275 bruit grinçant des milliers d'insectes emplissait l'espace. Abel et Gaspar couraient au-devant du nuage, en faisant siffler les lanières de leurs frondes. Les autres enfants jetaient des branches sèches dans le feu et bientôt de grandes flammes claires jaillirent. En quelques secondes, le ciel fut obscurci. Le nuage des insectes
1280 passait lentement devant le soleil, couvrant la terre d'ombre. Les insectes frappaient le visage des enfants, griffaient leur peau avec leurs pattes dentelées. À l'autre bout du champ d'herbes, le troupeau fuyait vers les dunes, et le grand bouc noir reculait en piétinant la terre avec fureur. Gaspar courait sans s'arrêter,
1285 la fronde tournant au-dessus de sa tête comme une hélice. Le vrombissement continu des ailes des insectes résonnait dans ses oreilles et il continuait à courir sans voir où il allait, en frappant dans l'air avec sa lanière. Interminablement, le nuage tournoyait autour de la plaine d'herbes, comme s'il cherchait un endroit où
1290 s'abattre. Les nappes brunes des insectes se déroulaient, oscillaient, se recouvraient. Par endroits, les insectes tombaient sur le sol, puis recommençaient à voler lourdement, ivres de leur propre bruit. Les joues et les mains d'Abel étaient marquées de zébrures sanglantes, et il courait sans reprendre haleine, entraîné par le
1295 mouvement de sa fronde. Chaque fois que sa lanière frappait dans le nuage vivant, il poussait un cri, et Gaspar lui répondait.

Mais le vol des sauterelles ne s'arrêtait pas. Peu à peu, il s'éloignait au-dessus du marécage, toujours se balançant, hésitant, il fuyait vers les collines de pierres. Déjà les derniers insectes
1300 remontaient dans l'air et le ciel se vidait. Le bruit crissant diminuait, s'en allait. Quand la lumière du soleil reparut, les enfants retournèrent vers la maison, épuisés. Ils s'allongèrent par terre, la gorge sèche, le visage tuméfié[1].

---

1. Tuméfié : enflé.

Puis les plus jeunes enfants partirent en criant à travers les
1305 hautes herbes, pour ramasser les sauterelles assommées. Ils revin-
rent en portant des brassées d'insectes. Assis autour des braises
chaudes, les enfants mangèrent les sauterelles jusqu'au soir. Pour
les chiens sauvages aussi, ce jour-là, il y eut un grand festin parmi
les herbes hautes.

5

Combien de jours avaient passé? La lune avait grossi, puis était redevenue un mince croissant couché au-dessus des collines. Elle avait disparu quelque temps du ciel noir, et quand elle était revenue, les enfants l'avaient saluée à leur manière, en poussant des cris et en faisant des révérences. Maintenant, elle était à nouveau ronde et lisse dans le ciel nocturne, et elle baignait la vallée de Genna de sa lumière douce, un peu bleue. Il y avait quelque chose d'étrange dans sa lumière pourtant. Il y avait comme du froid et du silence. Les enfants se couchaient tôt dans la maison, mais Gaspar restait longtemps assis sur le seuil, à regarder la lune qui flottait dans le ciel. Abel aussi était inquiet. Le jour, il partait seul très loin, et personne ne savait où il allait. Il partait en balançant sa fronde d'herbe le long de sa cuisse, et il ne revenait qu'à la nuit tombante. Il ne rapportait plus de viande, seulement de temps à autre de maigres petits oiseaux aux plumes souillées qui ne calmaient pas la faim. La nuit, il se couchait avec les autres enfants à l'intérieur de la maison, mais Gaspar savait qu'il ne dormait pas; il écoutait les bruits des insectes et les chants des crapauds autour de la maison.

Les nuits étaient froides. La lune brillait avec force, sa lumière était comme du givre. Le vent froid brûlait le visage de Gaspar tandis qu'il contemplait la vallée éclairée. Chaque fois qu'il expirait, la vapeur fumait en sortant de ses narines. Tout était sec et froid, dur, sans ombre. Gaspar voyait avec netteté tous les dessins sur la face de la lune, les taches sombres, les fissures, les cratères.

1335 Les chiens sauvages ne dormaient pas. Ils rôdaient tout le temps à travers la plaine éclairée, en poussant des grognements et des jappements. La faim rongeait leurs ventres, et ils cherchaient en vain des restes de nourriture. Quand ils s'approchaient trop de la maison, Gaspar leur jetait des pierres. Ils faisaient des bonds 1340 en arrière en grondant, puis ils revenaient.

Cette nuit-là, Abel décida de faire la chasse à Nach le serpent. Vers le milieu de la nuit, il se leva et vint rejoindre Gaspar. Debout à côté de lui, il regarda la vallée éclairée par la lune. Le froid était intense, les pierres micassées[1] étincelaient et les hautes her-1345 bes luisaient comme des lames. Il n'y avait pas de vent. La lune semblait très proche, comme s'il n'y avait rien entre la terre et le ciel, et qu'on touchait le vide. Autour de la lune, les étoiles ne scintillaient pas.

Abel fit quelques pas, puis il se retourna et regarda Gaspar 1350 pour lui demander de venir avec lui. La clarté de la lune peignait son visage en blanc, et ses yeux étaient allumés dans l'ombre des orbites. Gaspar prit sa fronde d'herbe et il marcha avec lui. Mais ils ne traversèrent pas le champ d'herbes. Ils longèrent le marécage, dans la direction des collines de pierres.

1355 Quand ils passèrent devant des arbustes, Abel noua sa lanière autour de son cou. Avec son petit couteau, il coupa deux longues branches qu'il émonda avec soin. Il donna une baguette à Gaspar et garda l'autre dans sa main droite.

Maintenant, il marchait vite sur le sol caillouteux. Il marchait 1360 penché en avant, sans faire de bruit, le visage aux aguets. Gaspar le suivait en imitant ses gestes. Au début, il ne savait pas qu'ils avaient commencé la chasse à Nach. Peut-être qu'Abel avait aperçu les traces d'un lièvre du désert, et qu'il allait bientôt faire tournoyer sa fronde. Mais cette nuit-là, tout était différent. La lumière était

---

1. **Micassées** : qui contiennent du mica.

1365 douce et froide, et l'enfant marchait silencieusement, la longue
baguette dans sa main droite. Seul Nach le serpent, qui glisse
lentement dans la poussière en lançant ses anneaux, pareil aux
racines des arbres, habitait dans cette région de Genna.

Gaspar n'avait jamais vu Nach. Il l'avait seulement entendu, la
1370 nuit, parfois, quand il passait près du troupeau. C'était le même
bruit qu'il avait entendu la première fois, quand il avait franchi
le mur de pierres sur le chemin de Genna. La petite Khaf lui
avait montré comment danse le serpent, en balançant sa tête,
et comment il rampe lentement sur le sol. En même temps, elle
1375 disait : « Nach ! Nach ! Nach ! Nach ! Nach ! » et avec sa bouche
elle imitait le bruit de crécelle qu'il fait avec le bout de sa queue
contre les pierres et sur les branches mortes.

Cette nuit-là était vraiment la nuit de Nach. Tout était comme
lui, froid et sec, brillant d'écailles. Quelque part, au pied des
1380 collines de pierres, sur les dalles froides, Nach faisait glisser son
long corps et goûtait la poussière avec la pointe de sa langue
double. Il cherchait une proie. Lentement, il descendait vers
le troupeau des moutons et des chèvres, s'arrêtant de temps à
autre, immobile comme une racine, puis repartant.

1385 Gaspar s'était séparé d'Abel. À présent, ils marchaient de front,
à quelques mètres de distance. Penchés en avant, ils avaient plié
les genoux, et ils faisaient de lents mouvements du buste et des
bras, comme s'ils nageaient. Leurs yeux s'étaient accoutumés à
la lumière de la lune, ils étaient froids et pâles comme elle, ils
1390 voyaient chaque détail sur la terre, chaque pierre, chaque fissure.

C'était un peu comme à la surface de la lune. Ils avançaient
lentement sur le sol nu, entre les rochers cassés et les crevasses
noires. Au loin, les collines déchiquetées comme les bords d'un
volcan luisaient contre le ciel noir. Tout autour d'eux, ils voyaient
1395 les étincelles du mica, du gypse, du sel gemme[1]. Les deux enfants
marchaient avec des gestes ralentis, au milieu du pays de pierre

---

1. **Gypse, sel gemme** : minéraux qui constituent certaines roches.

et de poussière. Leurs visages et leurs mains étaient très blancs, et leurs vêtements étaient phosphorescents, teintés de bleu.

C'était ici, le pays de Nach.

1400 Les enfants le cherchaient, examinant le terrain mètre par mètre, écoutant tous les bruits. Abel s'écarta davantage de Gaspar, parcourant un grand cercle autour du plateau calcaire. Même quand il fut très loin, Gaspar voyait la buée qui brillait devant son visage, et il entendait le bruit de son souffle ; tout était net
1405 et précis, à cause du froid.

Maintenant Gaspar avançait à travers les broussailles, le long d'un ravin. Tout d'un coup, alors qu'il passait près d'un arbre sans feuilles, un acacia brûlé par la sécheresse et le froid, le jeune garçon tressaillit. Il s'arrêta, le cœur battant, parce qu'il avait
1410 entendu le même bruit de froissement, le «Frrrtt-frrrtt» qui avait résonné le jour où il avait franchi le vieux mur de pierres sèches. Juste au-dessus de sa tête, il vit Nach le serpent qui déroulait son corps le long d'une branche. Nach descendait lentement de l'acacia, chaque écaille de sa peau luisant comme du métal.

1415 Gaspar ne pouvait plus bouger. Il regardait fixement le serpent qui n'en finissait pas de glisser le long de la branche, puis qui s'enroulait autour du tronc et descendait vers le sol. Sur la peau du serpent, chaque dessin brillait avec netteté. Le corps glissait vers le bas presque sans toucher le tronc de l'arbre, et au bout
1420 du corps il y avait la tête triangulaire aux yeux pareils à du métal. Nach descendait longuement, sans bruit. Gaspar n'entendait que les coups de son propre cœur qui frappaient fort dans le silence. La lumière de la lune étincelait sur les écailles de Nach, sur ses pupilles dures.

1425 Gaspar dut faire un mouvement, parce que Nach s'arrêta et dressa la tête. Il regarda le jeune garçon, et Gaspar sentit son corps se glacer. Il aurait voulu crier, appeler Abel, mais sa gorge ne laissait passer aucun son. Il ne respirait plus. Au bout d'un long moment, Nach reprit son mouvement. Quand il toucha
1430 à terre, c'était comme de l'eau qui coulait dans la poussière,

un très long ruisseau d'eau pâle qui sortait lentement du tronc de l'arbre. Gaspar entendit le bruit de sa peau qui frottait sur la terre, un crissement léger, électrique, pareil au vent sur les feuilles mortes.

1435 Gaspar resta sans bouger jusqu'à ce que Nach ait disparu. Alors il commença à trembler, si violemment qu'il dut s'asseoir par terre pour ne pas tomber. Il sentait encore sur son visage le regard dur de Nach, il voyait encore le mouvement d'eau froide du corps glissant le long de l'arbre. Gaspar resta longtemps,
1440 immobile comme une pierre, écoutant les coups de son cœur dans sa poitrine. Au-dessus de la terre, la lune très ronde éclairait le ravin désert.

Gaspar entendit Abel qui l'appelait. Il sifflait très doucement entre ses dents, mais l'air sonore rendait le bruit très proche. Puis
1445 Gaspar entendit le bruit de ses pas. Le jeune garçon approchait si vite que ses pieds semblaient effleurer à peine le sol. Gaspar se leva et rejoignit Abel. Ensemble ils suivirent le ravin, sur les traces de Nach.

Abel recommença à siffler, et Gaspar comprit que c'était pour
1450 Nach ; il l'appelait comme cela, doucement, en faisant un bruit continu et monotone. Dans les cachettes entre les racines des acacias, Nach percevait le sifflement, et il tendait son cou en balançant sa tête triangulaire. Son corps glissait sur lui-même, s'enroulait. Inquiet, Nach cherchait à comprendre d'où venait le
1455 sifflement, mais la vibration aiguë l'entourait, semblait venir de tous les côtés à la fois. C'était une onde étrange qui l'empêchait de s'enfuir, l'obligeait à nouer son corps.

Quand les deux enfants apparurent, hautes silhouettes blanches dans la lumière de la lune, Nach frappa avec colère sa queue contre
1460 les cailloux, et cela fit un crépitement d'étincelles. La peau de Nach semblait phosphorescente. Elle bougeait à peine, comme un frisson, sur le sol de poussière. Le corps se déroulait sur place, glissant sur les graviers, s'étirant, se dévidant, et Gaspar regardait à nouveau la tête triangulaire aux yeux sans paupières. Il sentait

1465 le même froid que tout à l'heure qui engourdissait ses membres
et arrêtait son esprit. Abel se pencha en avant et se mit à siffler
plus fort, et Gaspar l'imita. Tous les deux, ils commencèrent à
danser la danse de Nach, avec des gestes ralentis de nageurs.
Leurs pieds glissaient sur le sol, en avant, en arrière, en frappant
1470 des talons. Leurs bras tendus traçaient des cercles, et la baguette
sifflait aussi dans l'air. Nach continua à avancer vers les enfants,
en lançant ses anneaux de côté, et en haut de son cou dressé, sa
tête se balançait pour suivre la danse.

Quand Nach ne fut qu'à quelques mètres des enfants, ils accé-
1475 lérèrent le mouvement de leur danse. Maintenant Abel parlait.
C'est-à-dire qu'il parlait en même temps qu'il sifflait entre ses dents,
et cela faisait des bruits étranges et rythmés, avec des explosions
violentes et des grincements, comme une musique de vent qui
résonnait à travers le plateau rocheux jusqu'aux collines lointaines
1480 et jusqu'aux dunes. C'étaient des paroles comme les craquements
des pierres dans le froid, comme le chant des insectes, comme
la lumière de la lune, des paroles fortes et dures qui semblaient
recouvrir toute la terre.

Nach suivait les paroles et le bruit des pieds nus frappant la
1485 terre, et son corps oscillait sans cesse. Au sommet de son cou, sa
tête triangulaire tremblait. Lentement, Nach se replia en arrière,
en basculant un peu sur le côté. Les enfants dansaient à moins
de deux mètres de lui. Il resta ainsi un long moment, tendu et
vibrant. Puis, soudain, comme un fouet il se détendit et frappa.
1490 Abel avait vu le mouvement, il sauta de côté. En même temps,
sa baguette siffla et toucha le serpent près de la nuque. Nach
se replia en soufflant, tandis que les enfants dansaient autour
de lui. Gaspar n'avait plus peur, à présent. Quand Nach frappa
dans sa direction, il fit seulement un pas de côté, et à son tour
1495 il essaya de cingler le serpent à la tête. Mais Nach s'était replié
aussitôt, et la baguette souleva un peu de poussière.

Il ne fallait pas s'arrêter de siffler et de parler, même en res-
pirant, pour que toute la nuit résonne. C'était une musique

comme le regard, une musique sans faiblesse, qui retenait Nach
sur le sol et l'empêchait de s'en aller. Par la peau de son corps,
elle entrait en lui et lui donnait des ordres, la musique froide
et mortelle qui ralentissait son cœur et déviait ses mouvements.
Dans sa bouche, le venin était prêt, il gonflait ses glandes ; mais
la musique des enfants, leur danse ondulante était plus puissante
encore, elle les mettait hors d'atteinte.

Nach enroula son corps autour d'un rocher, pour mieux fouetter
l'air avec sa tête. Devant lui, les silhouettes blanches des enfants
bougeaient sans cesse, et il sentit la fatigue. Plusieurs fois, il lança
sa tête en avant pour mordre, mais son corps retenu par le rocher
était trop court et il frappait seulement la poussière impalpable.
Chaque fois les baguettes sifflèrent en faisant craquer ses vertè-
bres cervicales.

À la fin, Nach quitta son point d'appui. Son long corps se déroula
sur le sol, s'étendit dans toute sa beauté, étincelant comme une
armure et moiré[1] comme du zinc. Les dessins réguliers sur son
dos paraissaient des yeux. Les osselets de sa queue vibraient en
faisant une musique aiguë et sèche qui se mêlait aux sifflements
et aux rythmes des pieds des enfants. Il redressa peu à peu sa
tête, en haut de son cou vertical. Abel cessa de siffler et marcha
vers lui, levant haut sa mince baguette, mais Nach ne bougea pas.
Sa tête en angle droit avec son cou resta tournée vers l'image
blanche de celui qui s'approchait, qui arrivait. D'un seul coup
net, Abel frappa le serpent et lui brisa la nuque.

Ensuite il n'y eut plus du tout de bruit sur le plateau calcaire.
Seulement, de temps en temps, le passage du vent froid dans les
buissons et à travers les branches des acacias. La lune était haut
dans le ciel noir, les étoiles ne scintillaient pas. Abel et Gaspar
restèrent un instant à regarder le corps du serpent allongé sur
la terre, puis ils jetèrent leurs baguettes et ils retournèrent vers
Genna.

---

1. Moiré : qui présente des reflets brillants.

6

Ensuite tout changea très vite à Genna. C'était le soleil qui brillait plus fort dans le ciel sans nuages, et la chaleur devenait insupportable dans l'après-midi. Tout était électrique. On voyait tout le temps des étincelles sur les pierres, on entendait le cré-
1535 pitement du sable, des feuilles d'herbe, des épines. L'eau du lac avait changé, elle aussi. Opaque et lourde, couleur de métal, elle renvoyait la lumière du ciel. Il n'y avait plus d'animaux dans la vallée, seulement des fourmis et les scorpions qui vivaient sous les pierres. La poussière était venue ; elle montait dans l'air quand
1540 on marchait, une poussière âcre et dure qui faisait mal.

Les enfants dormaient dans la journée, fatigués par la lumière et la sécheresse. Parfois, ils se réveillaient, traversés par une inquié-tude nouvelle. Ils sentaient l'électricité dans leurs corps, dans leurs cheveux. Ils couraient comme les chiens sauvages, sans but, à la
1545 recherche d'une proie peut-être. Mais il n'y avait plus de lièvres ni d'oiseaux. Les animaux avaient quitté Genna sans qu'ils s'en rendent compte. Pour calmer leur faim, ils cueillaient les herbes aux feuilles larges et amères, ils déterraient les racines. La petite Khaf faisait à nouveau provision de graines poivrées pour le départ.
1550 La seule nourriture était le lait des chèvres qu'ils partageaient avec le renard Mîm. Mais le troupeau était devenu nerveux. Il partait vers les collines, et il fallait aller de plus en plus loin pour traire les chèvres. Augustin ne pouvait plus approcher le grand

bouc noir. Hatrous grattait le sol avec colère, en faisant jaillir des
1555 nuages de poussière. Chaque jour, il conduisait le troupeau plus
loin, vers le haut de la vallée, là où commençaient les collines,
comme s'il allait donner le signal du départ.

Les nuits étaient si froides que les enfants n'avaient plus de
force. Il fallait rester serrés les uns contre les autres, sans bou-
1560 ger, sans dormir. On n'entendait plus les cris des insectes. On
n'entendait plus que le vent qui soufflait, et le bruit des pierres
qui se contractaient.

Gaspar pensait qu'il allait se passer quelque chose, mais il ne
comprenait pas ce que ce serait. Il restait allongé sur le dos toute
1565 la nuit, près de la petite Khaf enroulée dans sa veste de toile.
La petite fille ne dormait pas, elle non plus ; elle attendait, en
serrant contre elle le renard.

Ils attendaient tous. Même Abel ne partait plus à la chasse. La
fronde d'herbe autour de son cou, il restait couché devant la
1570 porte de la maison, les yeux tournés vers les collines éclairées par
la lune. Les enfants étaient seuls à Genna, seuls avec le troupeau
et les chiens sauvages qui gémissaient à voix basse dans leurs
trous de sable.

Le jour, le soleil brûlait la terre. L'eau du lac avait un goût de
1575 sable et de cendres. Quand les chèvres avaient bu, elles sentaient
une fatigue dans leurs membres, et leurs yeux sombres étaient
pleins de sommeil. Leur soif n'était pas apaisée.

Un jour, vers midi, Abel quitta la maison avec sa fronde d'herbe
au bout du bras. Son visage était tendu, et ses yeux brillaient
1580 de fièvre. Bien qu'il ne le lui ait pas demandé, Gaspar marcha
derrière lui, armé de sa propre fronde. Ils se dirigèrent vers
le marécage où poussaient des papyrus. Gaspar vit que l'eau
du marécage avait baissé, et qu'elle était couleur de boue. Les
moustiques dansaient autour du visage des enfants, et c'était le
1585 seul bruit de vie à cet endroit. Abel entra dans l'eau et marcha
vite. Gaspar le perdit de vue. Il continua seul, enfonçant dans
la boue du marécage. Entre les roseaux, il voyait la surface de

l'eau, opaque et dure. La lumière jetait des éclats éblouissants, et la chaleur était si forte qu'il avait du mal à respirer. La sueur
1590 coulait sur son visage et sur son dos, son cœur battait fort dans sa poitrine. Gaspar se hâtait, parce que tout à coup il avait compris ce que cherchait Abel.

Soudain, entre les roseaux, il aperçut l'oiseau blanc qui était roi de Genna. Les ailes ouvertes, il était immobile à la surface
1595 de l'eau, si blanc qu'on aurait dit une tache d'écume. Gaspar s'arrêta et regarda l'oiseau, plein d'une joie qui gonflait tout son corps. L'oiseau blanc était bien tel qu'il l'avait vu la première fois, inaccessible et entouré de lumière comme une apparition. Gaspar pensait qu'au centre du marécage il gouvernait silencieusement
1600 la vallée, les herbes, les collines et les dunes, jusqu'à l'horizon ; peut-être qu'il saurait éteindre la fatigue et la sécheresse qui régnaient partout, peut-être qu'il allait donner ses ordres et que tout redeviendrait comme avant.

Quand Abel apparut, à quelques mètres seulement, l'oiseau
1605 tourna la tête et regarda avec étonnement. Mais il resta immobile, ses grandes ailes blanches ouvertes au-dessus de l'eau brillante. Il n'avait pas peur. Gaspar ne regardait plus l'oiseau. Il vit le jeune garçon qui levait son bras au-dessus de sa tête, et au bout du bras, la longue lanière verte commençait à tourner, en faisant
1610 son chant mortel.

« Il va le tuer ! » pensa Gaspar. Et il s'élança soudain vers lui. De toutes ses forces, il courait dans le marécage vers Abel, en bousculant les tiges des papyrus. Il arriva sur Abel au moment où la pierre allait partir, et les deux enfants tombèrent dans la
1615 boue, tandis que l'ibis blanc frappait l'air de ses ailes et prenait son envol.

Gaspar serrait le cou d'Abel pour le maintenir dans la boue. Le jeune berger était plus mince que lui, mais plus agile et plus fort. En un instant, il se libéra de la prise, et il recula de quel-
1620 ques pas dans le marécage. Il s'arrêta et regarda Gaspar, sans prononcer une parole. Son visage sombre et ses yeux étaient

pleins de colère. Il fit tournoyer sa fronde au-dessus de sa tête, et lâcha la lanière. Gaspar se baissa, mais le caillou heurta son épaule gauche et le jeta dans l'eau comme un coup de poing.

1625 Un deuxième caillou siffla près de sa tête. Gaspar avait perdu sa fronde en luttant dans le marécage et il dut s'enfuir. Il se mit à courir entre les roseaux. La colère, la peur, et la douleur faisaient comme un grand bruit dans sa tête. Il courait le plus vite qu'il pouvait en zigzaguant pour échapper à Abel.

1630 Quand il regagna la terre ferme, à bout de souffle, il vit qu'Abel ne l'avait pas suivi. Gaspar s'assit par terre, caché par les touffes de roseaux, et il resta longtemps, jusqu'à ce que son cœur et ses poumons aient retrouvé leur calme. Il se sentait triste et fatigué, parce qu'il savait maintenant qu'il ne pourrait plus retourner

1635 auprès des enfants. Alors, quand le soleil fut tout près de l'horizon, il prit le chemin des collines, et il s'éloigna de Genna.

Il ne se retourna qu'une fois, quand il arriva en haut de la pre-mière colline. Il regarda longuement la vallée, la plaine d'herbes, la tache lisse du lac. Près de l'eau, il vit la petite maison de boue

1640 et la colonne de fumée bleue qui montait droit dans le ciel. Il essaya d'apercevoir la silhouette de la petite Khaf assise près du feu, mais il était trop loin, et il ne vit personne. D'ici, en haut de la colline, le marécage semblait minuscule, un miroir terne où se reflétaient les tiges noires des roseaux et des papyrus. Gaspar

1645 entendit les jappements des chiens sauvages, et un nuage de poussière grise s'éleva quelque part au bout de la vallée, là où le grand bouc Hatrous marchait devant son troupeau.

Cette nuit-là, Gaspar dormit trois heures, lové dans un creux de rocher. Le froid intense avait engourdi la douleur de sa blessure,

1650 et la fatigue avait rendu son corps lourd et insensible comme une pierre.

C'est le vent qui réveilla Gaspar, juste avant l'aurore. Ce n'était pas le même vent que d'habitude. C'était un souffle chaud, électrique, qui venait de loin au-delà des collines de pierres. Il

1655 arrivait en suivant les vallées et les ravins, hurlant à l'intérieur

des cavernes, sur les roches éoliennes, un vent violent et plein
de menace. Gaspar se leva à la hâte, mais le vent l'empêchait
de marcher. En luttant, penché en avant, Gaspar suivit un ravin
étroit barré par des murs de pierres sèches effondrés. Le vent le
1660 poussa le long du ravin, jusqu'à une route. Gaspar se mit à courir
sur la route, sans voir où il allait. Maintenant le jour était levé,
mais c'était une lumière étrange, rouge et grise, qui naissait de
partout à la fois, comme s'il y avait un incendie. La terre n'était
plus qu'une nappe de poussière qui glissait dans le vent horizontal.
1665 Elle était irréelle, elle fondait comme un gaz. La poussière dure
aux grains acérés frappait les rochers, les arbres, les herbes, elle
rongeait de ses millions de mandibules[1], elle usait et écorchait
la peau. Gaspar courait sans reprendre haleine, et de temps en
temps il agitait les bras en criant, comme faisaient les enfants
1670 pour éloigner le nuage de sauterelles. Il courait pieds nus sur
la route, les yeux à demi fermés, et la poussière rouge courait
plus vite que lui. Pareilles à des serpents, les trombes de sable
glissaient entre ses jambes, l'enveloppaient, tourbillonnaient,
recouvraient la route en longs torrents. Gaspar ne voyait plus
1675 les collines, ni le ciel. Il ne voyait que cette lueur trouble dans
l'espace, cette lumière étrange et rouge qui entourait la terre.
Le vent sifflait et criait le long de la route, il poussait Gaspar
et le faisait chanceler en frappant son dos et ses épaules. La
poussière entrait par sa bouche et ses narines, le suffoquait.
1680 Plusieurs fois Gaspar tomba sur la route, arrachant la peau de
ses mains et de ses genoux. Mais il ne sentait pas la douleur. Il
fuyait en courant, les bras repliés devant lui, cherchant du regard
un endroit où s'abriter.

Il courut comme cela plusieurs heures, perdu dans la tempête
1685 de sable. Puis, sur le bas-côté de la route, il vit la forme indécise
d'une cabane. Gaspar poussa la porte et entra. La cabane était

---

1. Mandibules : parties des mâchoires de certains insectes qui leur servent à broyer
la nourriture.

vide. Il referma la porte, s'accroupit contre le mur et mit sa tête
à l'intérieur de sa chemise.

1690 Le vent dura longtemps. La lueur rouge éclairait l'intérieur de
la cabane. La chaleur rayonnait du sol, du plafond, des parois,
comme à l'intérieur d'un four. Gaspar resta sans bouger, respi-
rant à peine, le cœur battant très lentement comme s'il allait
mourir.

1695 Quand le vent cessa, il y eut un grand silence, et la poussière
commença à retomber lentement sur la terre. La lueur rouge
s'éteignit peu à peu.

Gaspar sortit de la cabane. Il regarda autour de lui, sans comprendre. Dehors, tout avait changé. Les dunes de sable étaient
1700 debout sur la route, pareilles à des vagues immobiles. La terre,
les pierres, les arbres étaient couverts de poussière rouge. Loin,
près de l'horizon, il y avait une drôle de tache trouble dans le
ciel, comme une fumée qui fuyait. Gaspar regarda autour de lui
et il vit que la vallée de Genna avait disparu. Elle était perdue
1705 maintenant, quelque part de l'autre côté des collines, inaccessible,
comme si elle n'avait pas existé.

Le soleil apparut. Il brillait, et sa chaleur douce pénétra dans
le corps de Gaspar. Il fit quelques pas sur la route, en secouant
la poussière de ses cheveux et de ses habits. Au bout de la route,
un village de brique rouge était éclairé par la lumière du jour.

1710 Puis un camion arriva, les phares allumés. Le grondement
de son moteur grandit, et Gaspar s'écarta. Le camion passa à
côté de lui sans s'arrêter, dans un nuage de poussière rouge,
et continua vers le village. Gaspar marchait sur le sable chaud,
le long de la route. Il pensa aux enfants qui suivaient le bouc
1715 Hatrous à travers les collines et les plaines caillouteuses. Le
grand bouc noir devait être en colère à cause du vent et de la
poussière, parce que les enfants avaient trop tardé à partir. Abel
était au-devant du troupeau, sa longue lanière verte balançant
au bout de son bras. De temps en temps, il criait : « Ya ! Yah ! »
1720 et les autres enfants lui répondaient. Les chiens sauvages tout

jaunes de poussière couraient en faisant leurs grands cercles, et ils criaient aussi.

Ils passaient à travers les dunes rouges, ils allaient vers le nord, ou vers l'est, à la recherche de l'eau nouvelle. Peut-être que plus loin, quand on avait franchi un mur de pierres sèches, on trouvait une autre vallée, pareille à Genna, l'œil de l'eau brillant au milieu d'un champ d'herbes. Les hauts palmiers se balançaient dans le vent, et là, on pouvait construire une maison avec des branches et de la boue. Il y aurait des plateaux et des ravins où vivent les lièvres du désert, des clairières d'herbe où vont s'asseoir les oiseaux avant l'aube. Au-dessus du marécage, il y aurait peut-être même un grand oiseau blanc qui volerait penché sur la terre comme un avion qui tourne.

Gaspar ne regardait pas la ville où il entrait maintenant. Il ne voyait pas les murs de brique, ni les fenêtres fermées par des rideaux de métal. Il était encore à Genna, il était encore avec les enfants, avec la petite Khaf et le renard Mîm, avec Abel, Antoine, Augustin, avec le grand bouc Hatrous et le chien Noun. Il était bien avec eux, sans avoir besoin de paroles, au moment même où il entrait dans le bureau de la gendarmerie et où il répondait aux questions d'un homme assis derrière une vieille machine à écrire :

« Je m'appelle Gaspar… Je me suis perdu… »

Un quiz pour commencer

Cochez les bonnes réponses.

1 *Comment Gaspar rencontre-t-il le groupe des enfants ?*
- ❒ Il voit les enfants jouer derrière un mur.
- ❒ Il entend les pierres qu'ils lancent.
- ❒ Il sent l'odeur de leur nourriture.

2 *Combien d'enfants composent ce groupe ?*
- ❒ Quatre.
- ❒ Trois.
- ❒ Deux.

3 *Quelle est la première chose que les enfants apprennent à Gaspar ?*
- ❒ À trouver de quoi manger.
- ❒ À parler avec eux.
- ❒ À se servir d'un lance-pierres.

❹ *Que donne Khaf à Gaspar pour apaiser sa soif ?*
- ❐ Du thé brûlant.
- ❐ De l'eau.
- ❐ Une graine poivrée.

❺ *Comment se termine l'attaque du chien noir ?*
- ❐ Abel le tue avec sa fronde.
- ❐ Gaspar le tue pendant qu'il attaque Abel.
- ❐ Hatrous le tue d'un coup de corne.

❻ *Qui est le roi de Genna ?*
- ❐ Un oiseau blanc.
- ❐ Gaspar.
- ❐ Abel.

❼ *Quels mots Gaspar aime-t-il particulièrement ?*
- ❐ Altaïr, Fecda, Alioth : le nom des étoiles.
- ❐ Khaf, Abel, Augustin : le nom de ses amis.
- ❐ Mîm, Nach, Noun : le nom des animaux du désert.

❽ *Pourquoi Gaspar se bat-il contre Abel ?*
- ❐ Abel est jaloux de l'amitié de Gaspar avec Khaf.
- ❐ Gaspar ne veut pas qu'Abel tue l'oiseau blanc.
- ❐ C'est un jeu entre eux.

❾ *Avec qui Gaspar revient-il en ville ?*
- ❐ Il est accompagné par les enfants.
- ❐ Il est suivi par le bouc noir.
- ❐ Il est seul.

Des questions pour aller plus loin

☛ Analyser l'aspect poétique d'un récit

Gaspar et son histoire

❶ Après avoir relu attentivement la première partie de la nouvelle (p. 159-174), reproduisez et complétez ce tableau pour dresser le portrait de Gaspar.

Nom	
Informations sur son passé	
Détails physiques	
Occupations	
Goûts	
Dégoûts et peurs	

❷ Quelles fonctions chaque enfant assure-t-il dans le groupe des bergers ? Qui Gaspar aide-t-il ?

❸ Quels sont les deux animaux qui ont un statut particulier dans le texte ? Pourquoi ?

❹ Pourquoi Gaspar quitte-t-il les enfants ? Où va-t-il après les avoir quittés ?

Une aventure dans le désert

❺ Relisez la première description du désert (p. 159-162). En vous appuyant sur le vocabulaire, montrez comment est soulignée l'immensité du désert.

❻ Retrouvez à quels animaux sont attribués les noms suivants : Noun, Hatrous, Nach, Mîm et Zezay.

7 Décrivez les trois endroits traversés par Gaspar et ses amis en précisant les éléments du décor, les animaux qui y vivent, les bruits entendus et les données climatiques.

8 Au cours du récit, quels dangers Gaspar affronte-t-il ? Comment surmonte-t-il ces obstacles ?

Un récit poétique et ses échos

9 La mer est évoquée au début de la nouvelle. Où se situe-t-elle par rapport aux enfants ? Est-elle aussi importante dans ce texte que dans les autres nouvelles du recueil ?

10 « Le vent poussait les dunes. Dans la nuit elles luisaient faiblement, pareilles à des voiles de bateau », « les dunes se mouvaient lentement, imperceptiblement, pareilles aux longues lames de la mer » (p. 160). À quoi sont comparées les dunes dans ces deux phrases ? En quoi ce rapprochement est-il poétique ?

11 En vous appuyant sur les prénoms des personnages et sur les descriptions des lieux, dites quels souvenirs du texte biblique apparaissent dans cette nouvelle.

12 Quel est le dernier personnage rencontré par Gaspar ? Quel rôle est-il appelé à jouer ? En quoi la fin de *Mondo* est-elle différente ?

Rappelez-vous !
Les Bergers se situe à la fin de *Mondo et autres histoires*. Dans cette nouvelle poétique, les images du désert comme une mer de sable font écho aux autres textes du recueil. Le cadre de l'histoire évoque l'univers mythique de la Bible.

De la lecture à l'écriture

Des mots pour mieux écrire

❶ Complétez chacune des phrases suivantes avec le mot qui convient : farouche, volubile, étonnement, plaintive, contentement.

a. En rentrant chez, lui, l'enfant raconta d'une voix _____.
comment il s'était fait mal en se disputant avec son meilleur ami.
b. Il avait réussi à terminer à temps, son sourire témoignait de son

_____.
c. Il ne s'attendait pas à voir l'oiseau si près de lui, d'habitude il était
plus _____.
d. Après son retour, il se montra _____ : il avait tant de choses
à raconter !
e. Quel ne fut pas son _____ : il ne savait pas qu'il reviendrait
si vite !

❷ a. À quel champ lexical appartiennent les mots suivants :
reflet, radiation, phosphorescent, étincelles, éblouissant ?
**b. Employez chacun de ces termes dans une phrase qui en
éclairera le sens.**

À vous d'écrire

❶ Le gendarme ramène Gaspar chez lui. Imaginez et rédigez la scène
des retrouvailles avec ses parents.
Consigne. Dans votre récit, vous insérerez un dialogue au cours duquel
Gaspar racontera l'expérience qu'il a vécue et exprimera les différents
sentiments qu'il a ressentis pendant son aventure.

❷ Durant leur première soirée sans Gaspar, les enfants se retrouvent autour du feu et parlent du départ du jeune garçon.

Consigne. Après qu'Abel a expliqué ce qui s'est passé dans le marais, les trois autres enfants réagissent à ce récit et reprochent, ou non, à Abel son attitude. Votre texte comportera une vingtaine de lignes.

Du texte à l'image

➥ Photographie du désert du Sahara occidental.
(Image reproduite en fin d'ouvrage, au verso de la couverture.)

👁 Lire l'image

❶ Observez attentivement cette photographie et faites-en un calque en ne retenant que les éléments essentiels.

❷ Quelle est la ligne principale qui partage l'espace ? Quels éléments du paysage se situent en dessus et au-dessous de cette ligne et quelles sont les couleurs dominantes des deux espaces ainsi délimités ?

❸ Où se situe celui qui a pris cette photographie ? Comment appelle-t-on cet angle de vue ?

📰 Comparer le texte et l'image

❹ Ce désert ressemble-t-il à celui que traverse Gaspar ? Pourquoi ?

❺ Retrouvez un passage de la nouvelle qui pourrait être illustré par cette photographie.

✍ À vous de créer

❻ Vous travaillez pour une agence de voyage, créez une publicité intégrant cette photo pour inciter les gens à traverser le désert.

Des questions sur l'ensemble du recueil

Des histoires d'enfants

❶ Quels sont les points communs entre Mondo, Lullaby, Daniel et Gaspar (âge, situation familiale, caractère, goûts)?

❷ Qu'est-ce qui distingue ces personnages les uns des autres? Comparez ce que l'on sait d'eux, de leurs modes de vie, de leur entourage et de leurs rapports avec le monde.

❸ Selon ces nouvelles, quelles sont les valeurs positives qui se rattachent à l'enfance?

Des récits d'apprentissage

❹ D'où vient chacun des enfants? Qu'ont-ils quitté?

❺ Qu'apprennent les enfants au cours de leurs aventures? Qui sert de guide ou d'initiateur pour chacun d'eux?

❻ Comment l'apprentissage de chaque enfant se termine-t-il? Que décide alors chacun d'eux?

L'amour des mots

❼ Rendez à chaque enfant les mots qui sont les siens : Karisma, Oxyton, Alkaïd, mer, Ovo owo, Ram ! Ram !, Lucioles, Mouïa, Toujours.

❽ Pourquoi les enfants utilisent-ils ces mots dont ils ne connaissent pourtant pas vraiment le sens ?

❾ Dans ces nouvelles, retrouvez les différents moyens utilisés par les enfants pour communiquer avec les autres.

L'amour du monde

❿ Quels sont les paysages dans lesquels chacun des enfants se sent particulièrement heureux ? Pourquoi ?

⓫ Quelles sensations et quels sentiments éprouvent les enfants face à la nature ?

⓬ Les milieux naturels découverts par les enfants sont-ils toujours accueillants et inoffensifs ? Trouvez-vous que la nature est idéalisée dans les nouvelles de Le Clézio ?

Des mots pour mieux écrire

Lexique de l'apprentissage

Apprentissage : initiation, premières leçons au contact du monde et des autres.

Assimiler : acquérir, faire siennes des connaissances pour pouvoir les réutiliser.

Autodidacte : qui a appris tout seul, de lui-même, sans maître.

Bachoter : apprendre intensivement et à la hâte dans le seul but d'obtenir un diplôme.

Endoctriner : chercher à imposer une doctrine, un point de vue à quelqu'un.

Inculquer : graver une leçon dans l'esprit de façon durable.

Initier : être le premier à donner des connaissances à quelqu'un.

Instruit : qui a des connaissances étendues.

Novice : celui qui manque d'expérience, qui fait quelque chose pour la première fois.

Rabâcher : répéter sans cesse, de façon ennuyeuse.

a. *Quels sont les mots du lexique de l'apprentissage qui ont une connotation péjorative ? Employez deux d'entre eux dans une phrase de votre invention qui en éclairera le sens.*

b. *Choisissez deux termes qui présentent l'apprentissage sous un jour valorisant et employez chacun d'eux dans une phrase de votre invention.*

Lexique du bruit

Assourdissant : qui rend passagèrement sourd par excès de bruit.
Bêlements : cris des moutons ou des chèvres.
Bruissement : bruit faible, proche du murmure, mais continu.
Cacophonie : rencontre désagréable de sons.
Clapotis : bruit de l'eau faiblement agitée.
Cliquetis : série de bruits secs et brefs qui peuvent être produits par le choc d'objets métalliques.
Crépitement : série de bruits secs, de craquements.
Crissement : bruit aigu de frottement.

Fracas : bruit violent.
Grincement : son aigu et prolongé, désagréable à entendre.
Grondement : son menaçant, sourd et prolongé.
Mugissement : cri sourd des bovidés.
Résonner : s'emplir de bruit, d'échos.
Retentissant : qui fait un grand bruit et s'entend bien.
Rugissement : cri des grands fauves.
Strident : se dit d'un bruit aigu et intense.
Tonitruant : qui fait un bruit énorme.
Vocifération : parole bruyante prononcée dans la colère.

Dans les listes suivantes, trouvez l'intrus et expliquez votre choix.

a. Rugissements, mugissements, bruissements, bêlements.

b. Grondement, strident, grincement, crissement.

c. Vocifération, tonitruant, retentissant, bruissement.

d. Clapotis, cliquetis, fracas, crépitement.

Lexique de la mer

Abysse : grande profondeur sous-marine.

Chavirer : en parlant d'un navire, se retourner sur lui-même, se renverser.

Crique : enfoncement du rivage où les bateaux peuvent se mettre à l'abri.

Clapotis : bruit et mouvement de l'eau légèrement agitée.

Déferler : en parlant des vagues, se briser et venir rouler sur le rivage.

Écume : mousse blanchâtre qui se forme sur les vagues.

Embruns : poussière d'eau emportée par le vent quand les vagues se brisent.

Flots : masse d'eau en mouvement.

Flux : mouvement de l'eau quand la marée monte.

Goémon : algue marine.

Houle : mouvement d'ondulation qui agite l'eau sans déferlement de vagues.

Lame : grosse vague qui se forme sous l'effet du vent, rouleau.

Marine : peinture ayant la mer pour sujet.

Mouton : petite vague écumeuse en surface.

Reflux : mouvement des eaux qui se retirent quand la marée descend.

Ressac : retour violent des vagues sur elles-mêmes quand elles ont frappé un obstacle.

Roulis : balancement d'un navire provoqué par la houle ou les vagues.

Sterne : petit oiseau marin de la famille des goélands.

Varech : ensemble d'algues variées rejetées par la mer.

Mots croisés

Tous les mots à placer dans cette grille se trouvent dans le lexique de la mer ci-dessus.

Horizontalement

1. C'est le bruit léger des vagues qui arrivent au rivage.

2. Mouvement que les vagues donnent à un bateau.

3. De nombreux peintres impressionnistes en ont fait au moins une.

4. Quand la mer retourne vers le large.

5. Dépôt de couleur blanche sur la crête des vagues.

6. Plante qui aime le sel.

7. Mouvement que la mer conserve après une tempête.

Verticalement

A. On le dit des navires en difficulté et des cœurs amoureux.
B. Eaux mouvantes.
C. Ami de la mouette et du goéland.
D. Gouttelettes d'eau que l'on peut aussi sentir en passant près d'une fontaine.
E. Mouvement tumultueux des vagues qui ont rencontré un rocher.
F. Leur blanc manteau d'écume justifie leur nom.
G. Le plus profond de l'océan.

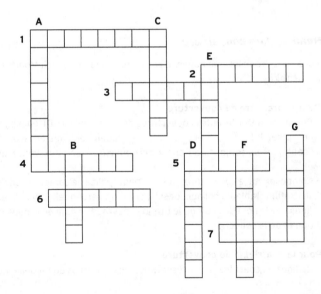

À vous de créer

❶ Jouer sur scène les personnages des nouvelles

Imaginez qu'un beau jour Mondo, Lullaby, Daniel et Gaspar se rencontrent. Regroupez-vous par quatre et jouez cette rencontre devant vos camarades sous la forme d'une petite scène de théâtre. Chacun de vous interprétera l'un des héros de Le Clézio.

– Pour créer votre personnage, imaginez sa démarche, sa façon de parler et comment il est habillé. Prenez quelques notes au brouillon.
– Avant de jouer la scène, esquissez dans ses grandes lignes la conversation des enfants.

❷ Réaliser une couverture

Vous allez proposer une nouvelle couverture pour le recueil *Mondo et autres histoires*.

Pour la première de couverture
– Comparez les différentes couvertures de ce recueil au CDI, en bibliothèque ou sur Internet. Quels aspects du recueil sont mis en avant ? Correspondent-ils toujours au choix de nouvelles que vous venez de lire ?
– Composez votre couverture : mise en page, police de caractère, choix de l'illustration (tableau, collage, dessin, création personnelle). N'oubliez pas d'indiquer le nom de l'auteur, le titre de l'ouvrage, le nom de la maison d'édition et de la collection.

Pour la quatrième de couverture
– Rédigez un court texte de présentation des nouvelles du recueil (une dizaine de lignes).
– Mettez en page votre quatrième de couverture.

L'enfant et la nature

Mark Twain, *Les Aventures de Tom Sawyer*

Premier roman de l'écrivain américain Mark Twain (1835-1910), *Les Aventures de Tom Sawyer* est un classique de la littérature de jeunesse. Tom Sawyer est un garçon qui vit dans le Sud des États-Unis. Ses aventures le mettent au contact de la nature : avec ses amis, il part jouer aux pirates sur une île du Missouri et y fait l'expérience d'une vie sauvage, loin des habitudes de la ville.

Loin dans les bois, un oiseau appela ; un autre lui répondit. Les coups de bec d'un pivert se firent entendre. Peu à peu la brume grise du matin se leva ; les bruits se multiplièrent ; la vie reprit dans toute son intensité. Aux yeux de l'enfant ébahi se révélait le merveilleux spectacle de la Nature à son réveil.

Sur une feuille couverte de rosée Tom vit une petite chenille verte ; par moments elle levait la tête, comme pour prendre une bouffée d'air frais, puis recommençait – car, disait Tom, elle prenait des mesures ; et quand, de sa propre initiative, la chenille s'approcha de lui, il resta immobile, comme une pierre ; son espoir croissait ou décroissait alternativement suivant que la bestiole venait de son côté ou optait pour une autre direction. Et quand, enfin, après mûre réflexion, elle se décida à venir sur la jambe de Tom, l'enfant exulta. Heureux présage ! cela signifiait qu'il porterait bientôt un habit neuf et il se voyait déjà revêtu d'un somptueux uniforme de pirate. Puis un cortège de fourmis, venant on ne sait d'où, se rendait au travail ; l'une d'elles s'attelait courageusement au cadavre d'une araignée cinq fois plus grosse qu'elle et réussissait à le traîner jusque sur un tronc d'arbre. Une coccinelle tachée de noir faisait l'ascension vertigineuse d'un brin d'herbe ; et, quand Tom se pencha sur elle et lui fredonna «Coccinelle, retourne chez toi, ta maison brûle, tes enfants sont seuls», la coccinelle prit son vol et alla voir ce qu'il en était. Tom n'en fut nullement surpris ; il savait que ces insectes croient tout ce qu'on leur dit quand il est question d'incendie ; il avait plus d'une fois mis leur candeur à l'épreuve. Vint ensuite un scarabée à la démarche pénible. Tom le toucha, voulant voir s'il replierait ses pattes sous son corps pour faire le mort. À cette heure tous les oiseaux commençaient à chanter. Une grive se pencha sur un arbre au-dessus de la tête de Tom et se délecta à faire des imitations de ses voisins. Telle une flamme bleue, un geai descendit, se posa sur une branche à la portée de Tom, pencha la tête et dévisagea les nouveaux venus avec une curiosité minutieuse ; un écureuil gris et un remarquable spécimen de la gent renard vinrent, l'un sautillant, l'autre galopant, s'asseyant de temps en temps pour examiner les enfants et leur parler chacun en son langage ; car ces bêtes sauvages n'avaient probablement jamais encore vu de représentant de l'espèce humaine et ne pouvaient guère savoir s'il convenait de s'en méfier ou non.

Mark Twain, *Les Aventures de Tom Sawyer* [1876], trad. de l'américain par F. de Gaïl, Gallimard, «Folio junior», 1987.

Pierre Loti, *Le Roman d'un enfant*

Écrivain et officier de marine, Pierre Loti (1850-1923) s'est grandement inspiré de ses voyages pour composer ses romans. Dans *Le Roman d'un enfant*, il évoque son enfance. Il se souvient ici avec émotion de sa première rencontre avec la nature.

J'ai oublié le commencement, le départ, la route en voiture, l'arrivée. Mais, par un après-midi très chaud, le soleil déjà bas, je me revois et me retrouve si bien, seul au fond du vieux jardin à l'abandon, que des murs gris, rongés de lierre et de lichen, séparaient des bois, des landes à bruyères, des campagnes pierreuses d'alentour. Pour moi, élevé à la ville, ce jardin très grand, qu'on n'entretenait guère et où les arbres fruitiers mouraient de vieillesse, enfermait des surprises et des mystères de forêt vierge. Ayant sans doute franchi les buis de bordure, je m'étais perdu au milieu d'un des grands carrés incultes du fond, parmi je ne sais quelles hautes plantes folles, – des asperges montées, je crois bien, – envahies par de longues herbes sauvages. Puis je m'étais accroupi, à la façon de tous les petits enfants, pour m'enfouir davantage dans tout cela qui me dépassait déjà grandement quand j'étais debout. Et je restais tranquille, les yeux dilatés, l'esprit en éveil, à la fois effrayé et charmé. Ce que j'éprouvais, en présence de ces choses nouvelles, était encore moins de l'étonnement que du ressouvenir ; la splendeur des plantes vertes, qui m'enlaçait de si près, je *savais* qu'elle était partout, jusque dans les profondeurs jamais vues de la campagne ; je la sentais autour de moi, triste et immense, déjà vaguement connue ; elle me faisait peur, mais elle m'attirait cependant, – et, pour rester là le plus longtemps possible sans qu'on vînt me chercher, je me cachais encore davantage, ayant pris sans doute l'expression de figure d'un petit Peau-Rouge dans la joie de ses forêts retrouvées.

Pierre Loti, *Le Roman d'un enfant* [1890], Gallimard, « Folio », 2000.

Colette, *Sido*

En 1929-1930, Colette (1873-1954) compose *Sido*, un recueil dans lequel elle réunit une série de souvenirs qui remontent à son enfance. Elle y fait le portrait de sa mère, Sido, tout en cherchant à comprendre comment elle-même est devenue l'adulte qu'elle est. L'enfance de Colette est décrite comme idyllique, se déroulant dans un jardin paradisiaque qui révèle tous ses secrets à l'enfant.

Car j'aimais tant l'aube, déjà, que ma mère me l'accordait en récompense. J'obtenais qu'elle m'éveillât à trois heures et demie, et je m'en allais, un panier vide à chaque bras, vers des terres maraîchères qui se réfugiaient dans le pli étroit de la rivière, vers les fraises, les cassis et les groseilles barbues.

À trois heures et demie, tout dormait dans un bleu originel, humide et confus, et quand je descendais le chemin de sable, le brouillard retenu par son poids baignait d'abord mes jambes, puis mon petit torse bien fait, atteignait mes lèvres, mes oreilles et mes narines plus sensibles que tout le reste de mon corps… J'allais seule, ce pays mal pensant était sans dangers. C'est sur ce chemin, c'est à cette heure que je prenais conscience de mon prix, d'un état de grâce indicible et de ma connivence avec le premier souffle accouru, le premier oiseau, le soleil encore ovale, déformé par son éclosion…

Ma mère me laissait partir, après m'avoir nommée «Beauté, Joyau-tout-en-or»; elle regardait courir et décroître sur la pente son œuvre, – «chef-d'œuvre», disait-elle. J'étais peut-être jolie; ma mère et mes portraits de ce temps-là ne sont pas toujours d'accord… Je l'étais à cause de mon âge et du lever du jour, à cause des yeux bleus assombris par la verdure, des cheveux blonds qui ne seraient lissés qu'à mon retour, et de ma supériorité d'enfant éveillée sur les autres enfants endormis.

Je revenais à la cloche de la première messe. Mais pas avant d'avoir mangé mon saoul, pas avant d'avoir, dans les bois, décrit un grand circuit de chien qui chasse seul, et goûté l'eau de deux sources perdues, que je révérais. L'une se haussait hors de la terre par une convulsion cristalline, une sorte de sanglot, et traçait elle-même son lit sableux. Elle se décourageait aussitôt née et replongeait sous la terre. L'autre source, presque invisible, froissait l'herbe comme un serpent, s'étalait secrète au centre d'un pré où des narcisses, fleuris en ronde, attestaient seuls sa présence. La première avait goût de feuille de chêne, la seconde de fer et de tige de jacinthe… Rien qu'à parler d'elles je souhaite que leur saveur m'emplisse la bouche au moment de tout finir, et que j'emporte, avec moi, cette gorgée imaginaire…

Colette, *Sido* [1930], Fayard et Hachette Littératures, «Le livre de poche», 2004.

Jacques Prévert, *Paroles*

Jacques Prévert (1900-1977) est l'un des grands poètes du xxᵉ siècle. Son premier recueil, *Paroles*, est l'une de ses œuvres les plus lues. L'enfance est l'un des thèmes chers à Prévert. L'enfant est, en effet, un être libre, souvent doué de magie, tel cet écolier qui peut rendre à la nature ce que l'homme lui a volé, au grand désespoir de son maître.

PAGE D'ÉCRITURE

Deux et deux quatre
quatre et quatre huit
huit et huit font seize...
Répétez ! dit le maître
Deux et deux quatre
quatre et quatre huit
huit et huit font seize.
Mais voilà l'oiseau lyre
qui passe dans le ciel
l'enfant le voit
l'enfant l'entend
l'enfant l'appelle
Sauve-moi
joue avec moi
oiseau !
Alors l'oiseau descend
et joue avec l'enfant
Deux et deux quatre...
Répétez ! dit le maître
et l'enfant joue
l'oiseau joue avec lui...
Quatre et quatre huit
huit et huit font seize
et seize et seize qu'est-ce qu'ils font ?
Ils ne font rien seize et seize
et surtout pas trente-deux
de toute façon
et ils s'en vont.
Et l'enfant a caché l'oiseau

dans son pupitre
et tous les enfants
entendent sa chanson
et tous les enfants
entendent la musique
et huit et huit à leur tour s'en vont
et quatre et quatre et deux et deux
à leur tour fichent le camp
et un et un ne font ni une ni deux
un à un s'en vont également.
Et l'oiseau lyre joue
et l'enfant chante
et le professeur crie :
Quand vous aurez fini de faire le pitre !
Mais tous les autres enfants
écoutent la musique
et les murs de la classe
s'écroulent tranquillement.
Et les vitres redeviennent sable
l'encre redevient eau
les pupitres redeviennent arbres
la craie redevient falaise
le porte-plume redevient oiseau.

Jacques Prévert, *Paroles* [1945],
Gallimard, « Folioplus classiques », 2004.

Henri Bosco, *L'Enfant et la rivière*

Henri Bosco (1888-1976) a écrit des livres dont l'action se situe en Provence. Dans *L'Enfant et la rivière*, Pascalet s'enfuit et arrive sur une île au milieu d'une rivière. Il y découvre la nature aux côtés de son ami Gatzo.

Dès lors nous menâmes une vie passionnante. Nous avions dans nos mains la nourriture ! Quelle nourriture ! Car ce n'était pas là un aliment banal, acheté, préparé, offert par d'autres mains, mais notre nourriture à nous, celle que nous avions pêchée nous-mêmes, et qu'il nous fallait nettoyer, assaisonner, cuire nous-mêmes.

Or, les pouvoirs secrets de cette nourriture donnent à celui qui la mange de miraculeuses facultés. Car elle unit sa vie à la nature. C'est pourquoi entre nous et les éléments naturels un merveilleux contact s'établit aussitôt. L'eau, la terre, le feu et l'air nous furent révélés.

L'eau qui était devenue notre sol naturel : nous habitions sur l'eau ; nous en tirions la vie.

La terre, à peu près invisible, mais qui tenait les eaux entre ses bras puissants.

L'air d'où viennent les vents, les oiseaux, les insectes.

L'air où les nuages circulent si légèrement. L'air paisible et orageux. L'air où s'étendent la lumière et l'ombre. L'air où se forment les présages.

Le feu, enfin, sans quoi la nourriture est inhumaine. Le feu qui réchauffe et rassure. Le feu qui fait le campement. Car sans le feu il manque un génie à la halte. Elle n'a plus de sens. Elle perd tout son charme ; elle n'est plus une vraie halte, avec son repas chaud, ses causeries, son loisir entre deux étapes, ses rêves et son sommeil bien protégé.

Henri Bosco, *L'Enfant et la rivière* [1945], Gallimard, « Folio junior », 2007.

Joseph Kessel, *Le Lion*

En 1958, Joseph Kessel (1898-1979) est un auteur connu. Journaliste, il voyage beaucoup et rapporte de ses voyages de nombreuses anecdotes dont il s'inspire dans ses récits. Ainsi le narrateur du *Lion* raconte comment Patricia, une enfant de la brousse élevée dans une réserve naturelle au Kenya, a développé des rapports très particuliers avec les animaux de cet endroit.

La petite fille s'était mise à parler. Et, bien que sa voix demeurât étouffée et sans modulation, ou plutôt à cause de cela même, elle était comme un écho naturel de la brousse.

Elle tenait en équilibre, en suspens, le travail de la pensée et son effort impuissant à pénétrer l'énigme, la seule qui compte, de la création et de la créature. Elle envoûtait le trouble et l'inquiétude ainsi que le font les hautes herbes et les roseaux sauvages quand les souffles les plus silencieux tirent de leur sein un merveilleux murmure, toujours le même et toujours renouvelé.

Cette voix ne servait plus au commerce étroit et futile des hommes. Elle avait la faculté d'établir un contact, un échange entre leur misère, leur prison intérieure, et ce royaume de vérité, de liberté, d'innocence qui s'épanouissait dans le matin d'Afrique.

De quelles courses à travers la Réserve royale et de quelles veilles au fond des fourrés épineux, par quelle inépuisable vigilance et quelle intimité mystérieuse Patricia avait-elle recueilli l'expérience dont elle me faisait part? Ces troupeaux interdits à tous étaient devenus sa société familière. Elle en connaissait les tribus, les clans, les personnages. Elle y avait ses entrées, ses habitudes, ses ennemis, ses favoris.

Le buffle qui, devant nous, se roulait dans la vase liquide avait un caractère infernal. Le vieil éléphant aux défenses cassées aimait à s'amuser autant que le plus jeune de la horde. Mais sa grande femelle, d'un gris presque noir, celle qui en ce moment poussait de la trompe ses petits vers l'eau, son goût de la propreté devenait une manie. […]

Quand je me souviens de ces récits, je m'aperçois que j'y apporte, quoi que je fasse, une méthode, une suite, une ordonnance. Mais Patricia, elle, parlait de tout ensemble à la fois. Les routines de la logique n'intervenaient pas dans ses propos. Elle se laissait porter par l'influence de l'instant, les associations les plus primitives, les inspirations des sens et de l'instinct. Comme le faisaient les êtres simples et beaux que nous avions sous les yeux et qui vivaient au-delà de l'angoisse des hommes, parce qu'ils ignoraient la vaine tentation de mesurer le temps et naissaient, existaient et mouraient sans avoir besoin de se demander pourquoi.

Joseph Kessel, *Le Lion* [1958],
Belin-Gallimard, «Classico», 2010. © Gallimard.

Des lettres et des mots

Guillaume Apollinaire, *Calligrammes*

Guillaume Apollinaire (1880-1918) invente le terme « calligramme » pour désigner des poèmes écrits non en strophes et en vers, comme le veut la tradition, mais en forme de dessins.

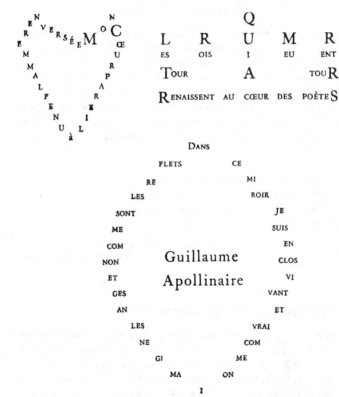

Guillaume Apollinaire, *Calligrammes* [1918], Belin-Gallimard, « Classico », 2008. © Gallimard.

Francis Ponge, *La Rage de l'expression*

Francis Ponge (1899-1988) est un poète contemporain qui s'est intéressé au langage et à la faculté de dire les choses. Le poème se fait définition : il doit permettre d'aboutir à une connaissance de l'objet dont il parle, un objet quotidien comme le savon, la bougie ou la valise. Dans *La Rage de l'expression*, le poète nous montre son travail en cours, nous délivre différents états de sa création, différents essais de définitions, tels ces deux passages des « Notes prises pour un oiseau ».

NOTES PRISES POUR UN OISEAU

L'oiseau. Les oiseaux. Il est probable que nous comprenons mieux les oiseaux depuis que nous fabriquons des aéroplanes.

Le mot OISEAU : il contient *toutes les voyelles*. Très bien, j'approuve. Mais, à la place de l's, comme seule consonne, j'aurais préféré l'L de l'aile : OILEAU, ou le V du bréchet, le V des ailes déployées, le V d'*avis* : OIVEAU. Le populaire dit *zozio*. L's je vois bien qu'il ressemble au profil de l'oiseau au repos. Et *oi* et *eau* de chaque côté de l's, ce sont les deux gras filets de viande qui entourent le bréchet.

[…]

Mon nom unit les voyelles françaises
À commencer par celle en forme d'œuf
En deux diphtongues autour de la couleuvre
Proche de moi aux classifications.

Francis Ponge, *La Rage de l'expression* [1952],
Gallimard, « Poésie », 1976.

Henri Bosco, *Le Renard dans l'île*

Une dizaine d'années après avoir publié *L'Enfant et la rivière*, Henri Bosco (1888-1976) écrit un nouveau récit des aventures de Pascalet et Gatzo. Ce dernier est adopté par la famille de Pascalet et reçoit avec lui l'éducation d'un précepteur, le frère Théopiste. Comme le vieil homme qui apprend l'alphabet à Mondo, ce précepteur va donner un sens aux lettres et à leur forme, et les doter d'une vie propre.

Lettres et nombres me donnaient un plaisir qui touchait au bonheur. Je retrouvais ce que je savais, avec joie, mais tout m'offrait pourtant un visage nouveau qui me rafraîchissait l'ancien visage. L'un était transparent, l'autre me souriait à travers cette transparence. Ce que j'avais toujours aperçu de profil, je le voyais de face. Frère Théopiste n'avait qu'un humble trésor de science, mais qui ravissait le cœur. Il n'est rien de tel... Ce que tout le monde connaît, en croyant le connaître, Frère Théopiste le faisait revivre comme personne n'y avait pensé. Il avait ce don, et il l'ignorait, tant son innocence et sa modestie étaient grandes. Il réinventait, à chaque leçon, le peu qu'il savait, pour nous seuls. Et nous partions ainsi dans l'aventure à la découverte du monde...

Même l'alphabet, offert à Gatzo comme base des plus sérieuses à toute connaissance, il me révélait à moi d'étranges merveilles.

Frère Théopiste disait, en traçant au tableau le T ou le A, de sa grosse main :

– Le T ne peut pas rester seul. Il est maigre et il sécherait. Ce serait sa mort. Il faut qu'il s'appuie sur quelqu'un. Alors viennent le A, ou le E, ou le I, ou le U, tantôt l'un, tantôt l'autre... Regardez bien j'écris :

ÉTÉ

C'est un mot de trois lettres, un mot court... Mais ces lettres se tiennent debout. Pas de danger qu'une seule tombe. Et savez-vous pourquoi elles restent solides?... Parce que les deux E ont les pieds sur le sol. Vous pouvez les poser tout seuls, ils ne bougeront pas d'un pouce. Le pauvre T, qui se tient au milieu, en est ragaillardi pour longtemps, et c'est bien. Il joue son rôle. Il fait même bonne figure. Le mot peut s'en aller sous le soleil, il dira au soleil ce qu'il a à lui dire... Et qu'a-t-il à lui dire, mes braves enfants? Eh bien! ce qu'il est! L'été lui-même dans le ciel!...

Épelez le mot!...

– Été dans le ciel! disions-nous, ensemble.

C'était dire plus que le mot, mais quand il s'agit de soleil, il faut que le ciel tout entier soit de la fête.

Gatzo pourtant jetait un regard soupçonneux sur ce T encadré par deux créatures sonores, qui le soutenaient charitablement, mais qui peut-être l'enchaînaient aussi. Il travaillait avec application à lire et à écrire, mais, toujours méfiant, il se demandait, je suppose, si ces lettres et ces paroles n'allaient pas, lui aussi, l'enchaîner sans qu'il s'en doutât…

Henri Bosco, *Le Renard dans l'île* [1956], Gallimard, « Folio junior », 2000.

François Cavanna, *Les Ritals*

François Cavanna (né en 1923) est le fils d'un immigré italien. Dans son roman autobiographique, *Les Ritals*, il raconte son enfance à Nogent-sur-Marne au sein de la communauté italienne. Contrairement à son père, un maçon illettré, le jeune François a appris à lire très tôt et a accordé aux mots une importance toute particulière.

Les choses, pour moi, c'est d'abord des mots. Des mots écrits. Si on me dit « cheval », si, tout seul dans ma tête, je pense « cheval », je vois le mot « cheval », imprimé, attention, pas écrit à la main, imprimé en minuscules d'imprimerie, je le vois, là, devant moi, noir sur blanc, avec le hargneux crochet de son « c » au bout à gauche, son « h » pas trop aimable non plus qui dépasse en l'air ainsi le « l », son « v » prétentieux au milieu, son « e » très gonzesse, son « a » pansu assis sur son gros cul. « Cheval ». Après, seulement après, je vois la bête. Tout ça se fait beaucoup plus vite que je l'explique. À une vitesse fantastique. Mais j'ai quand même le temps de bien le voir, le mot, avec tous ses détails, sa physionomie, son mauvais caractère ou son clin d'œil complice. Les mots sont vraiment des copains.

Prends n'importe quel mot. Tiens, prends « café ». Sans réfléchir sans analyser, quelle impression tu as ? Je veux dire, si tu vois un visage pour la première fois, tu ressens une impression, comme ça, au premier choc. Là, pareil. Un mot, ça a une gueule. « Café », moi, ça me fait comme je vais dire. Arrogant. Maigre. Grand seigneur. Don Quichotte ? Il y a de ça. Non. Pas assez escogriffe. Sec, précis, mais ample. Sobre munificence. Un très beau mot.

Il y a des mots avec des « h » en trop, des consonnes doublées, des « eau », des « ault », des « ain », des « xc »… C'est ceux que je préfère. Ça leur donne une physionomie spéciale, un air précieux, un peu maladif, comme « thé », ou au contraire pétant de

238

gros muscles, comme «apporter», «recommander», ou qui fait grincer des dents, comme «exception». Il y a des mots à chapeaux à plumes, des mots à falbalas, des mots à béquilles et à dentiers, des mots ruisselants de bijoux, des mots pleins de rocailles et de trucs piquants, des mots à parapluie…

François Cavanna, Les Ritals [1978], Albin Michel, 1996.

Jean-Noël Blanc, *Couper court*

Jean-Noël Blanc (né en 1945) écrit des romans et des nouvelles. Il a même élaboré une forme mixte, celle du roman par nouvelles, un roman fait de chapitres qui sont autant de nouvelles. Son dernier recueil, *Couper court*, se termine par cette «Recette pour homme de lettres», une nouvelle en forme de clin d'œil dans laquelle il joue à son tour avec les significations qu'il donne aux formes de chacune des lettres de l'alphabet.

Recette pour homme de lettres

Saisir une à une les lettres de l'alphabet. Commencer par les majuscules. Les attraper du bout des doigts. Éviter de les froisser.

Considérer de près. Observer. Songer. Noter. Décrire.

Par exemple, le D : quelle bedaine ; pour peu qu'on ajoute quelques boutons : le gilet de Bibendum.

Le A : si au moins il pouvait mettre les poings sur les hanches, il aurait belle allure ; jambes écartées, grosse ceinture, épaules minces : un balaise.

Le F : peigne ébréché ; il lui manque trop de dents.

Le O : boule à zéro ; désespoir des coiffeurs (tiens, il irait bien avec le E : un ébouriffé).

Le S : serpent, c'est sûr ; si souvent ceci se susurre que sifflent sans cesse ses oreilles absentes.

Le W : serpent aussi ; mais serpent pour peintre cubiste ; à moins que ce ne soit un effet de l'arthrose.

Le K : agressif, ce petit bonhomme ; le dos en arrière, la jambe avancée, le poing dressé : un champion prêt à en découdre ; ne pas lui contester ce titre, sinon, le ko.

Le T : parapluie à une seule baleine ; pourvu qu'il ne pleuve pas, l'abri n'est pas sûr.

Le U: un peu niais peut-être, à sourire toujours dans le vide; quand même, ça finit par être touchant, ce sourire si pressé de se faire admirer qu'il en a oublié le visage qui le portait.

Le Q: monsieur tire sur une clope depuis longtemps éteinte.

Le M: hirondelle dessinée d'un trait; ou héron cendré plutôt: il en a le vol cassé caractéristique, avec ses ailes interminables et le bec qui pointe.

Le J: quelle idée de marcher la tête en bas; voyons, ce n'est pas ainsi que cela s'utilise, une canne.

Le B: petite tête, grosse panse: un monsieur qui se croit important; ou alors une femme enceinte?

Le C: sur les plages on en trouve, de ces carapaces de crabe, creuses et craquantes.

Le I: que voulez-vous qu'on en fasse, de cette allumette solitaire qui n'a même pas de grattoir à côté d'elle? Dans des films policiers américains, ça se mâchonne. Et puis ça se crache.

Ainsi de suite.

Poursuivre l'exercice jusqu'à épuiser l'alphabet. Puis recommencer. Inventer plusieurs figures pour la même lettre (par exemple le Q: une vache vue de dos; la partie médiane d'un petit garçon nu; un gros tonneau dont on vient d'ôter la bonde: le vin fuit d'un jet, etc.).

Quand on a de la sorte brossé le portrait d'un bon nombre de personnages ou d'objets, raconter les aventures qui se produisent quand ils se rencontrent.

Jean-Noël Blanc, *Couper court*, Éditions Thierry Magnier, 2007.

Interview de J.M.G. Le Clézio

▶▶ *Vous êtes né en 1940, pendant la Seconde Guerre mondiale : quels souvenirs gardez-vous de vos premières années ?*

Nous avions faim, nous avions peur, nous avions froid, c'est tout. Je me souviens d'avoir vu passer sous ma fenêtre les troupes du maréchal Rommel remontant les Alpes à la recherche d'un passage vers le nord de l'Italie et l'Autriche. Cela ne m'a pas laissé un souvenir très marquant. En revanche, dans les années qui ont suivi la guerre, je me souviens d'avoir manqué de tout, et particulièrement de quoi écrire et de quoi lire. Faute de papier et de plume à encre, j'ai dessiné et j'ai écrit mes premiers mots sur l'envers des carnets

J.M.G. Le Clézio (né en 1940)

de rationnement, en me servant d'un crayon de charpentier bleu et rouge. Il m'en est resté un certain goût pour les supports rêches et pour les crayons ordinaires. Faute de livres pour enfants, j'ai lu les dictionnaires de ma grand-mère. C'étaient de merveilleux portiques pour partir à la reconnaissance du monde, pour vagabonder et rêver devant les planches d'illustrations, les cartes, les listes de mots inconnus[1].

---

1. Conférence prononcée lors de la remise du prix Nobel, novembre 2008.

▶▶ *Quand avez-vous commencé à écrire ?*

C'était en 1946 ou au début 1947, j'avais six ans, je partais vers l'Afrique[1]. Le *Nigerstrom* était un cargo mixte de la Holland Africa Line qui reliait à l'Europe le chapelet des îles portuaires de l'Ouest Africa aux noms prodigieux, Dakar, Takoradi, Conakry, Lomé, Cotonou. Le cargo était un monde flottant. [...] Pour moi, l'acte d'écrire est resté lié à ce premier voyage. Une absence, peut-être, un éloignement, le mouvement de dérive le long d'une terre invisible, effleurant des pays sauvages, des dangers imaginaires[2]. Depuis l'âge de huit ans j'écris, c'était des petits romans d'aventure, et puis des poèmes, des choses comme ça, ce n'était pas très important mais enfin c'était une habitude que j'avais prise au lieu de m'amuser ; au lieu de faire comme tout le monde, eh bien je préférais rester chez moi et écrire[3]. Ce passe-temps avait été soigneusement entretenu par mon entourage – ma mère, ma grand-mère, mes lointaines cousines de Maurice avec qui j'échangeais mes romans[4].

▶▶ *Vous dont la famille a des origines diverses, avez-vous aujourd'hui une patrie d'élection ?*

Je souffre d'un manque d'appartenance. J'envie les Indiens qui sont accrochés à leur terre comme un minéral ou un végétal. Moi, je suis de nulle part. Ma seule solution est d'écrire des livres, qui sont ma seule patrie[5]. Je suis d'une famille mauricienne, des immigrés de la première génération. Moi, je suis un immigré de la deuxième génération. Ce sont donc des gens qui se sont installés en France, qui ont choisi de vivre là pour plusieurs raisons, parce qu'il y avait la guerre ou autre chose... Donc, pour moi, la France est un pays merveilleux, j'adore la culture française. Mais ma petite patrie, c'est l'île Maurice. J'ai une double nationalité. La France est ma patrie d'élection pour la culture, pour la langue. Mais je ne me rattache à aucune région. Peut-être de façon lointaine à la Bretagne,

---

1. Le Clézio allait voir pour la première fois son père, qui était médecin en Afrique.
2. *Dictionnaire des écrivains contemporains de langue française par eux-mêmes*, éd. Jérôme Garcin, Mille et une nuits, 2004.
3. Entretien avec Pierre Lhoste, « Le Chemin vers l'écriture », France Culture, août 1969, repris dans *J.M.G. Le Clézio, Hier et aujourd'hui*, INA/Radio France, 1999.
4. Entretien avec Jacques-Pierre Amette, *Le Point*, 2006.
5. Entretien avec Jérôme Garcin, *Le Nouvel Observateur*, 2003.

parce que mes ancêtres ont quitté la Bretagne. Mais le lieu le plus proche de moi, c'est l'île Maurice. Quand j'arrive là-bas, je sens que j'arrive chez moi[1].

▶▶ **Dans vos livres, le déplacement et le voyage occupent une place importante. Vous définiriez-vous comme un grand voyageur ?**

En réalité, je ne voyage pas vraiment. Je ne cherche pas le dépaysement. Je n'aime pas l'idée d'aller dans un lieu quel qu'il soit, de regarder autour de moi et de prendre des notes. Je me sens plutôt comme un individu qui essaie de se poser quelque part et n'y arrive pas vraiment. Lorsque je me rends à un endroit ou un autre, c'est pour m'implanter. J'essaie chaque fois de m'adapter, d'acquérir des habitudes. J'ai vécu ainsi au Mexique, dans l'État du Michoacán, aux États-Unis, à Albuquerque – que je vais sans doute quitter –, auparavant en Europe. Ce sont pour moi comme des vies successives[2]. Je me souviens d'avoir parlé de la mer à Albuquerque en regardant un terrain vague où roulaient des racines d'acanthe poussées par le vent et je trouve que c'était assez exaltant de faire ça. Écrire, c'est sortir de soi, c'est devenir quelqu'un d'autre, c'est un peu comme rêver, donc voyager. Mais pas voyager pour écrire, je ne suis pas un écrivain voyageur... Je vais à un endroit pour ne plus être moi-même, pour me sentir libéré des rumeurs que je connais trop, des obligations qui pourraient me déranger, me sentant libre comme un oiseau... Écrire comme on volerait[3].

▶▶ **Que représente l'acte d'écrire pour vous ?**

Agir, c'est ce que l'écrivain voudrait par-dessus tout. Agir, plutôt que témoigner. Écrire, imaginer, rêver, pour que ses mots, ses inventions et ses rêves interviennent dans la réalité, changent les esprits et les cœurs, ouvrent un monde meilleur. Et cependant, à cet instant même, une voix lui souffle que cela ne se pourra pas, que les mots sont des mots que le vent de la société emporte, que les rêves ne sont que des chimères[4].

---

1. *Lire*, « Les Entretiens historiques », novembre 2008.
2. Entretien avec Nathalie Crom, *Télérama*, mai 2007.
3. *J.M.G. Le Clézio entre les mondes*, documentaire de François Caillat et Antoine de Gaudemar, France Télévisions Distribution, 2009.
4. Conférence prononcée lors de la remise du prix Nobel, novembre 2008.

▶▶ *Qu'est-ce qu'un écrivain selon vous ? Quel est son rôle ?*

L'écrivain, le poète, le romancier, sont des créateurs. Cela ne veut pas dire qu'ils inventent le langage, cela veut dire qu'ils l'utilisent pour créer de la beauté, de la pensée, de l'image. C'est pourquoi l'on ne saurait se passer d'eux. Le langage est l'invention la plus extraordinaire de l'humanité, celle qui précède tout, partage tout. Sans le langage, pas de sciences, pas de technique, pas de lois, pas d'art, pas d'amour. Mais cette invention, sans l'apport des locuteurs, devient virtuelle. Elle peut s'anémier, se réduire, disparaître. Les écrivains, dans une certaine mesure, en sont les gardiens. Quand ils écrivent leurs romans, leurs poèmes, leur théâtre, ils font vivre le langage. Ils n'utilisent pas les mots, mais au contraire ils sont au service du langage. Ils le célèbrent, l'aiguisent, le transforment, parce que le langage est vivant par eux, à travers eux et accompagne les transformations sociales ou économiques de leur époque[1].

---

1. Conférence prononcée lors de la remise du prix Nobel, novembre 2008.

Contexte culturel

L'anthropologie, une science de l'autre

Dans les romans et les nouvelles de Le Clézio, les personnages voyagent souvent. Au gré de leurs périples, ils découvrent des lieux, font connaissance avec des hommes, côtoient animaux et paysages. Cette attention à la richesse du monde et des êtres est fondamentale dans l'œuvre de Le Clézio: pour lui, le voyage est la source d'un enrichissement personnel. Il fait ainsi écho à ce qu'ont enseigné les anthropologues tout au long du XXᵉ siècle.

En effet, l'anthropologie est une discipline des sciences humaines qui étudie l'homme sous tous ses aspects (physiques, culturels et sociaux). Elle s'intéresse aux faits spécifiquement humains, que l'on ne retrouve pas chez les animaux: le langage articulé, les rites funéraires et magiques, les arts, les religions, les représentations spatiales et temporelles. Les anthropologues privilégient lors de leurs voyages la rencontre avec les autres et comparent les différents groupes humains, sociétés et ethnies.

En France, dans les années 1950, un grand anthropologue, Claude Lévi-Strauss, publie un livre fondateur, *Tristes tropiques*, où il raconte son voyage au Brésil et décrit les ethnies qu'il a rencontrées: des Indigènes du centre du Brésil. Dans ce texte, il fustige le voyageur qui ne cherche pas à découvrir l'autre. Pour lui, l'intérêt du voyage n'est pas l'exotisme ou l'aventure, mais la rencontre de l'autre et la possibilité de s'interroger sur les civilisations. L'influence de Claude Lévi-Strauss sur les sciences humaines a été majeure. Il a montré que, derrière les différences des peuples, il y a des parentés, une universalité de l'être humain. Il a fait changer le regard que l'on porte sur l'autre et ses différences. Et c'est bien ce regard attentif posé sur l'autre que Le Clézio a su développer, dès sa plus tendre enfance.

Le Clézio, voyageur et chercheur

Le Clézio est un écrivain nomade. Dès l'enfance, il découvre que le voyage est l'occasion de rencontres et d'apprentissages. Ainsi, en 1948, à l'âge de huit ans, il part au Nigeria retrouver son père et découvre des modes de vie très différents de celui qui était le sien jusqu'alors.

Lors de ses voyages au Panama et au Mexique à la fin des années 1960, il va à la rencontre de peuples indiens : les Emberras au Panama, les Mayas et les Purepechas au Mexique. Il vit dans la forêt panaméenne, découvre un mode de vie lié à la forêt, à ses ressources et à ses dangers. Aux côtés de ces peuples, il a accès à un savoir plus physique qu'intellectuel. C'est ce savoir que cherchent à acquérir tous les personnages de nos quatre nouvelles et qui s'oppose au savoir que dispense le lycée de Lullaby par exemple. Enfin au milieu des années 1990, l'écrivain part découvrir le désert avec sa femme Jemia.

Ses voyages lui ont permis de connaître des groupes humains différents, en contact avec des mythes originels. Chercheur, il s'est ainsi passionné pour les Aztèques et les Mayas, étudiant avec minutie leurs mythes fondateurs. Ses recherches ont nourri son écriture et ses textes.

Dans les nouvelles de notre recueil, les enfants habitent une nature originelle. Ils retrouvent ce contact avec les quatre éléments, que l'Européen civilisé a perdu et que Le Clézio avait pu observer dans les tribus des Indiens Emberras et Kunas des îles San Blas au Panama. Ainsi Mondo, Lullaby, Daniel observent et entrent en communication avec la mer et ses habitants. Le feu du soleil les gouverne comme celui des étoiles. La terre se manifeste sous la forme des rochers, de la végétation, des dunes de sable. L'air est présent dans le vent et les chansons qui peuplent ces histoires. Les éléments naturels ne concourent pas seulement à établir le cadre spatial du récit, ce sont des motifs importants dans la quête des personnages. Les quatre enfants voient dans les éléments naturels qui les entourent des êtres avec qui dialoguer, des puissances à admirer ou parfois combattre. Ils leur rendent la dimension mythique, primordiale, qu'ils ont dans les contes et dans les mythes fondateurs des sociétés amérindiennes.

Repères chronologiques

1939	**Début de la Seconde Guerre mondiale.**
1940	Naissance à Nice de J.M.G Le Clézio.
1945	**Première bombe atomique sur Hiroshima.** **Fin de la Seconde Guerre mondiale.**
1954	**Début de la guerre d'Algérie.**
1955	Claude Lévi-Strauss, *Tristes tropiques*.
1959	L'ONU adopte la Déclaration des droits de l'enfant.
1962	**Indépendance de l'Algérie.**
1963	*Le Procès verbal,* premier roman de J.M.G. Le Clézio, obtient le prix Renaudot.
1968	**Émeutes en France au mois de mai.**
1972	**Première conférence des Nations unies sur l'environnement à Stockholm.**
1978	J.M.G. Le Clézio, *Mondo et autres histoires*.
1980	J.M.G. Le Clézio, *Désert*.
1983	Léopold Sédar Senghor, écrivain sénégalais francophone, est élu à l'Académie française.
1985	J.M.G. Le Clézio, *Le Chercheur d'or*.
1989	**Chute du mur de Berlin, réunification de l'Allemagne.**
2006	Ouverture du Musée du quai Branly à Paris, consacré aux civilisations d'Afrique, d'Asie, d'Océanie et des Amériques.
2007	Manifeste « pour une littérature-monde en français » signé par 44 écrivains (dont Le Clézio) pour repenser la francophonie et réhabiliter le roman.
2008	J.M.G. Le Clézio reçoit le prix Nobel de littérature. **Élection de Barack Obama aux États-Unis.**

Les grands thèmes de l'œuvre

La nature, lieu de découvertes

Les grands espaces

Mondo, Lullaby, Daniel et Gaspar sont des voyageurs. Ils abandonnent leur lieu de vie trop contraignant pour découvrir un espace autre où être libre. Dans les quatre nouvelles, la nature est un lieu ouvert et accueillant. D'ailleurs quand un espace est fermé, il est aussitôt quitté par le héros : Mondo s'échappe de l'Assistance publique, Daniel de son lycée et Lullaby de l'appartement de sa mère. Après s'être enfuis de ces lieux clos, les personnages trouvent souvent refuge dans la nature : Mondo dort à la belle étoile et Daniel vit dans des grottes qui s'ouvrent sur la mer.

Longtemps enfermés, les adolescents des nouvelles de ce recueil ont un appétit dévorant d'espace : Gaspar est absorbé dans la contemplation des étoiles, Lullaby dans celle de la mer, tout comme Mondo et Daniel. L'immensité de la nature est une réponse au besoin de liberté de chacun des personnages. Ils s'y oublient dans des expériences qui sont d'ordre mystique. Dans son sommeil, Mondo semble sortir de son corps, « parti dans la chaude lumière de la maison, dans l'odeur des feuilles du laurier, dans l'humidité qui sortait des miettes de terre » (p. 43). Et Lullaby, dans son extase contemplative « avait l'impression qu'elle allait mourir. Très vite, la vie se retirait d'elle et partait, s'en allait dans le ciel et dans la mer » (p. 100).

La mer

Placées sous le haut patronage de Sindbad le marin (voir l'épigraphe du recueil, p. 9), les nouvelles de *Mondo et autres histoires* donnent à la mer une place prépondérante : trois de nos textes se déroulent dans un paysage maritime. Mondo et Lullaby se promènent au bord d'une mer qui ressemble à la Méditerranée. C'est une mer chaude, accueillante, miroitante, une mer qu'il faut regarder « en serrant les paupières pour ne pas être ébloui par les reflets du soleil » (*Mondo*, p. 18). C'est une mer que l'on peut rester des heures à regarder ; on peut se perdre en elle, s'oublier dans sa contemplation comme Lullaby appuyée à la colonne de la maison grecque (p. 100-102).

La mer de Daniel est une autre mer : une mer dont les marées sont violentes et révèlent les trésors enfouis dans ses fonds. Mer nourricière, elle laisse ses coquillages et ses animaux marins à l'enfant qui vient les prendre, mais peut devenir une mer sauvage, menaçante qui veut « tout prendre, les rochers, les algues, et aussi celui qui courait devant elle » (p. 147).

Même le désert des *Bergers* a quelque chose de marin : les métaphores font souvent du désert une mer de sable, ce désert dont « les dunes se mouvaient lentement, imperceptiblement, pareilles aux longues lames de la mer » (p. 160).

Les quatre éléments

Les quatre éléments fondamentaux, l'air, le feu, l'eau et la terre, occupent une place essentielle dans les descriptions des paysages de nos nouvelles : le feu du soleil et la lumière sont omniprésents, ils se reflètent sur l'eau et jouent avec le vent. La mer semble donc tout naturellement le lieu de jonction de ces éléments. Et la terre ? Elle apparaît aussi, au travers des rochers découverts par la marée ou de ceux qui servent de brise-lames aux vagues.

Parcourir l'espace avec les quatre héros de ces nouvelles nous permet de revenir aux racines du monde, un retour que prône Le Clézio. Car ce que les hommes ont tendance à oublier et que les enfants veulent retrouver, ce sont ces liens avec les forces de la nature, ce rapport direct et immédiat avec ce qui existe avant et en dehors de nous. Ainsi Mondo et Lullaby semblent se désincarner pour s'envoler et survoler la mer si proche d'eux, ils sont aussi très sensibles à la lumière et au feu du soleil. Souvenez-vous aussi comment Daniel entre en communication avec le poulpe Wiatt, être de l'eau, et comment, de son côté, Gaspar se fait le gardien de l'oiseau blanc de la vallée de Genna, prêt à se battre contre son ami pour préserver l'animal aérien qu'il révère.

Apprendre et grandir

L'enfance, âge de l'apprentissage

Mondo, Lullaby, Daniel et Gaspar sont tous les quatre des enfants ou même, plus précisément, des adolescents. Ils sont à l'âge où l'on apprend le monde. Deux d'entre eux au moins sont d'ailleurs inscrits dans un cursus scolaire. Et quand Mondo indique qu'il ne sait pas lire, les adultes se proposent de lui apprendre tant il semble évident qu'il doit apprendre à lire à son âge. Qu'en est-il des bergers ? N'auraient-ils pas besoin d'apprentissage, eux qui sont au contact avec la nature depuis toujours ? C'est un précepteur particulier, le bouc Hatrous, qui apprend à Augustin « non pas de ces choses qu'on trouve dans les livres, dont les hommes aiment parler, mais des choses silencieuses et fortes, des choses pleines de beauté et de mystère » (p. 187), « toutes les choses du désert et des plaines qu'il faut apprendre pendant une vie entière » (p. 187). L'enfant acquiert ainsi dans son jeune âge un savoir qui est ordinairement celui des sages vieillards des contes africains.

De qui peut-on recevoir des leçons ? Dans les nouvelles de ce recueil, l'enfant trouve des maîtres partout autour de lui. La mer, le soleil ou les étoiles sont des maîtres cosmiques ; les animaux peuvent faire figure d'initiateurs, comme le bouc noir Hatrous dans *Les Bergers* ou le poulpe Wiatt dans *Celui qui voulait voir la mer*. Quelques adultes remplissent aussi la fonction de guide : les différents amis de Mondo, qui sont tous des êtres en marge de la société, par leur âge, leur origine, leur métier ; le professeur du lycée de Lullaby, M. Filippi, qui s'occupe de révéler les lois de la nature et admet qu'un de ses élèves le quitte, s'éloigne pour mieux apprendre.

Le cheminement, condition de l'apprentissage

Dans les quatre nouvelles du recueil, l'apprentissage se fait toujours au cours d'un cheminement : les jeunes héros doivent partir, quitter un endroit pour en découvrir un autre. Gaspar quitte la ville endormie, Lullaby et Daniel quittent tous les deux un lycée ressenti comme une véritable prison et Mondo lui-même arrive d'ailleurs, d'un endroit qu'on ne connaît pas. Nos quatre héros sont détachés de leur milieu ordinaire et se retrouvent seuls dans un monde où tout est à apprendre. Les adultes les accompagnent parfois de loin, comme le père de Lullaby ou M. Filippi, son professeur de physique. Parfois, ce sont des figures imaginaires qui accompagnent le héros comme Sindbad, le modèle de Daniel.

Le cheminement de l'enfant est à la fois réel et métaphorique : tous les personnages marchent beaucoup et leur marche n'est pas toujours aisée. Gaspar défie le vent, le soleil et la soif avant d'atteindre la vallée de Genna puis avant de se retrouver en ville à nouveau. Daniel suit la mer dans le mouvement de ses marées. Lullaby connaît aussi des difficultés à escalader certains rochers pour pouvoir atteindre la maison indiquée par le petit garçon aux lunettes. Quant à Mondo, il parcourt dans tous les sens la ville dans laquelle il a trouvé refuge.

Les épreuves de l'apprentissage

Dans certaines sociétés, l'enfant subit des épreuves initiatiques dont la symbolique est de le faire passer à l'âge adulte. Quand Lullaby escalade les rochers avec difficulté ou quand elle se jette dans la mer pour échapper à l'homme hirsute, elle traverse des épreuves initiatiques ; c'est aussi une épreuve d'ordre initiatique qu'affronte Gaspar quand il se bat contre Abel ou quand il fait face à la tempête. Initiation encore que celle de Daniel menacé par la marée montante, car l'initiation comporte une part de danger, suppose une mort possible avant une renaissance, l'apparition du nouvel être qu'est devenu l'initié.

Tous ces personnages sont transformés, mûris par leurs aventures. Lullaby n'est plus soumise à la Directrice de son lycée, elle ne craint plus ses brimades : lorsqu'elle revient dans son lycée, c'est elle qui domine l'échange. Même assurance chez Gaspar qui se rend de son plein gré au poste de police pour se déclarer perdu, ou chez Mondo qui se défait des contraintes de l'Assistance publique et laisse à Thi Chin, en message d'amitié, deux mots dans lesquels n'entre aucune hésitation. Et Daniel ? Il est le seul dont le retour après l'initiation ne soit pas évoqué. Toutefois son statut dans l'imaginaire des internes a bel et bien changé : il n'est plus un fils d'agriculteurs pauvres, sans réussites ni qualités propres, il a acquis un statut qui peu à peu se densifie dans l'imaginaire collectif jusqu'à atteindre la dimension mythique de son illustre modèle, le grand Sindbad.

Fenêtres sur...

Des ouvrages à lire

Des récits écrits par J.M.G. Le Clézio

• J.M.G. Le Clézio, *La Ronde et autres faits divers* [1982], Gallimard, « Folio », 1990.
Un recueil de nouvelles, peuplé d'adolescents, d'enfants et d'adultes, héros malgré eux d'un fait divers. Dans ces histoires, Le Clézio dévoile des pans de la souffrance humaine. On y croise des adolescentes victimes d'un accident de la circulation, des gens qui quittent leur lieu de vie car ils s'y sentent malheureux, des personnages broyés par l'univers urbain.

• J.M.G. Le Clézio, *Pawana* [1992], Gallimard, « La bibliothèque Gallimard », 2003.
John de Nantucket, jeune homme de dix-huit ans, embarque sur un bateau commandé par Charles Melville Scammon. Il rêve de rencontrer les beautés de l'océan et les baleines. Mais la réalité qu'il découvre est toute autre... Ce récit s'inspire de la vie réelle de Charles Melville Scammon, légendaire baleinier, massacreur de baleines grises.

• J.M.G. Le Clézio, *Étoile errante* [1992], Gallimard, « Folio », 1994.
Esther et Nejma sont deux adolescentes, l'une juive, l'autre palestinienne. Leurs routes se croisent sur le chemin de l'exil : Esther, chassée d'Europe par la guerre, vient vivre dans le nouvel État d'Israël ; Nejma, Palestinienne, est déplacée par ce nouvel État et rejoint un camp de réfugiés. L'histoire de ces deux jeunes filles est un témoignage contre la guerre.

Des récits de voyages et d'aventures

• Anonyme, *Sindbad le marin*, Librio, 2006.
Ce récit est tiré des contes des Mille et Une Nuits. Au cours de sept voyages, Sindbad est devenu un riche et sage marin. Sur sa route, il a affronté tempêtes et animaux fabuleux. Découvrez l'univers du conte oriental en lisant cette aventure merveilleuse.

• J. Verne, *Un hivernage dans les glaces* [1874], Hachette, « Biblio collège », 2004.

Tout est prêt à Dunkerque pour accueillir Louis Cornbutte et célébrer son mariage dès sa descente du navire. Mais Louis ne rentre pas de son expédition dans le Nord, il est porté disparu. Aussi son père décide-t-il, malgré son âge, de reprendre la mer pour aller le chercher. Marie, la fiancée de Louis, l'accompagne. Marins, jeune fille et capitaine vont connaître des aventures nombreuses dans les mers gelées et sur la banquise afin de découvrir si Louis a survécu ou non à son expédition...

• R.L. Stevenson, *L'Île au trésor* [1883], Gallimard, « Folio junior », 2007.

Jim Hawkins s'embarque à bord de l'Hispaniola pour chercher un trésor sur une mystérieuse île. Pendant la traversée, puis sur l'île, il se retrouve au cœur d'une mutinerie, la moitié de l'équipage étant composée de pirates inquiétants. Les dangers et les aventures se multiplient pour réussir à s'emparer du trésor si convoité.

Des histoires d'enfants

• R. Kipling, *Le Livre de la jungle* [1894], Gallimard, « Folio junior », 1997.

Kipling situe les nouvelles de ce recueil dans la jungle, et nous raconte des moments de vie humaine ou animale. Parmi ces histoires, on retrouve celle de Mowgli, un enfant recueilli et élevé par des loups.

• Colette, *Le Blé en herbe* [1923], Librio, 2008.

Vinca et Phil se connaissent depuis l'enfance et passent ensemble tous leurs étés en Bretagne. Devenus adolescents, leurs relations ne sont plus aussi simples : les non-dits et les malentendus se multiplient. Au cours d'un été, ils vont découvrir la séduction et les rapports amoureux, des joies et des souffrances nouvelles pour eux.

• J. Kessel, *Le Lion* [1958], Belin-Gallimard, « Classico », 2010.

Un homme est en voyage en Afrique et s'arrête dans une réserve animalière au Kenya. Il y fait la connaissance de Patricia, la fille du responsable de la réserve. C'est cette enfant, élevée au contact de la nature et des animaux, qui le guide et lui permet de découvrir l'Afrique, ses animaux et ses habitants Masaï.

Un film à voir

(L'œuvre citée ci-dessous est disponible en DVD.)

• *J.M.G. Le Clézio, entre les mondes*, documentaire de François Caillat et Antoine de Gaudemar, couleur, 2008.
Lors d'entretiens tournés au Mexique, en Corée du Sud et en Bretagne, Le Clézio évoque voyages et souvenirs. Le film trace son portrait et décrit ses combats pour défendre des civilisations perdues et une planète peu respectée.

♫ Des CD à écouter

• J.M.G Le Clézio, *Lullaby*, texte lu par Valérie Karsenti, Gallimard, «Écoutez lire», 2009.

• J.M.G Le Clézio, *La Ronde et autres faits divers*, textes lus par Bernard Giraudeau, Gallimard, «Écoutez lire», 2008.

Des expositions à découvrir

La mer

• www.expositions.bnf.fr/lamer
Grâce à de nombreux documents (textes et images), cette exposition vir-tuelle de la BNF offre un passionnant parcours sur le thème de la mer. Certaines rubriques sont particulièrement intéressantes pour les élèves de 5e : la mer médiévale, la mer littéraire (Victor Hugo, Jules Verne), un atelier d'écriture mené par François Bon et un dossier sur Moby Dick.

Michael Kenna

• www.expositions.bnf.fr/ kenna
Michael Kenna est un photographe anglais né en 1953. Ses photographies sont le plus souvent des paysages en noir et blanc. L'exposition virtuelle de la BNF permet de découvrir son œuvre et présente de nombreuses marines.

Dans la même collection

CLASSICOCOLLÈGE

Pour obtenir plus d'informations, bénéficier d'offres spéciales enseignants ou
nous communiquer vos attentes, renseignez-vous sur www.editions-belin.com
ou envoyez un courriel à contact.classico@editions-belin.fr

Cet ouvrage a été composé par Palimpseste à Paris.

Imprimé en Espagne par Novoprint (Barcelone)
N° d'édition : 005441-06 – Dépôt légal : octobre 2012